Die Leber –
gesund und krank

Dr. sc. med. Balthasar Wohlgemuth
Oberarzt am Pathologischen Institut
der Karl-Marx-Universität Leipzig

Die Leber – gesund und krank

Mit neun Abbildungen
und einer Tabelle im Text

VEB VERLAG VOLK UND GESUNDHEIT BERLIN 1982

DIE LEBER – gesund und krank
Wohlgemuth, B.
2., durchgesehene Auflage
Berlin
Volk und Gesundheit
1982
Medicus-Reihe

1. Auflage 1980

2., durchgesehene Auflage

Lizenz-Nr. 210 (700/57/82)
LSV 2119
Lektor: Marina Krüger
Hersteller: Nicola Käthner
Printed in the German Democratic Republic
Satz und Druck: Gutenberg Buchdruckerei und Verlagsanstalt Saalfeld, Betrieb der VOB Aufwärts
Einbandgestaltung: Heinz Hellmis
Buchbinderische Verarbeitung: VEB Typodruck Leipzig
Bestell-Nr. 533 525 0
DDR 3,50 M

Inhaltsverzeichnis

Einleitung

Leberkrankheiten sind weit verbreitet. Als zentrales Organ des Stoffwechsels ist die Leber einer großen Anzahl von Störungsfaktoren ausgesetzt. Sie reichen von angeborenen Enzymdefekten über Krankheitserreger, insbesondere Viren, bis zu toxischen Einflüssen durch bestimmte in Beruf und Alltag verwendete chemische Substanzen. Als besonders wichtig muß die Rolle der Ernährung und der sog. Genußgifte hervorgehoben werden. Mit Nachdruck ist auf die leberschädigende Wirkung des Alkohols hinzuweisen, wobei es weniger auf Pauschalformulierungen ankommt als auf eine eindringliche Schilderung konkret erwiesener Tatbestände. Gerade auf diesem Gebiet vermögen nur glaubwürdige Angaben effektiv zu wirken.

Die Systematik des Stoffes ist unkonventionell. Sie soll den sachunkundigen Leser an die Thematik heranführen, ohne ihn zu überfordern. Text und Abbildungen sollen praktisch voraussetzungsfrei verstanden werden. So ist zu hoffen, daß selbst die zum Teil außerordentlich komplizierten Einzelheiten des normalen und krankhaften Leberstoffwechsels einfach und dem Gesamtrahmen untergeordnet dargestellt werden konnten. Eine Erörterung spezieller Angaben zur Diagnostik und Therapie wurde nicht vorgenommen. Hier soll dem Leser ein Eindruck von den vielfältigen Verfahren und ihrer Aussagekraft im Hinblick auf eine diagnostische Sicherheit vermittelt werden.

Der kleine Band soll mithelfen, alle Möglichkeiten zur Gesunderhaltung der Bevölkerung auszuschöpfen bzw. zur Genesung der Erkrankten beizutragen.

Balthasar Wohlgemuth

1. Die Leber als Laboratorium

Lage, Aufbau, Feinstruktur

Die Leber ist mit einer Masse von durchschnittlich 1500 g das schwerste Organ des Menschen. Sie gehört zum System der Verdauungsdrüsen und nimmt unter diesen eine besonders vielseitige Stellung ein. Die Leber liegt im rechten Oberbauch.

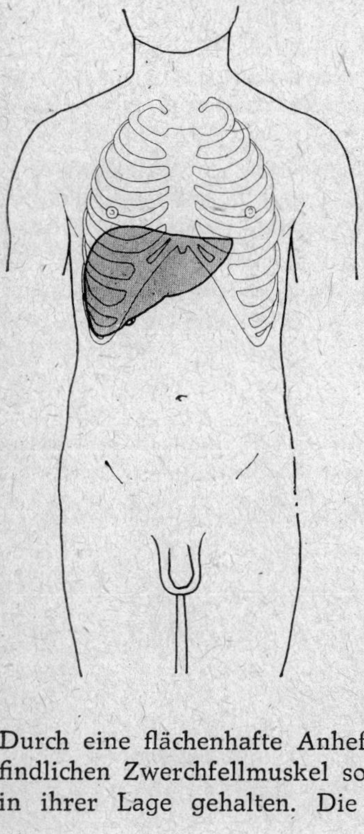

Abb. 1 Maßstabgerechte Lage und Größe der Leber im Körper

Durch eine flächenhafte Anheftung am unmittelbar darüber befindlichen Zwerchfellmuskel sowie durch einige Bänder wird sie in ihrer Lage gehalten. Die atembedingten Bewegungen des

Zwerchfelles übertragen sich auf das Organ und lassen es bei tiefer Einatmung 4–5 cm weiter in den Bauchraum gleiten. Die Leber hat eine Größe von 36 × 18 × 9 cm; sie weist eine Lappung auf, wobei der rechte Lappen die Hauptmasse bildet. Die normale Leber ist braunrot. Bei der Spiegelung des Bauchraumes,

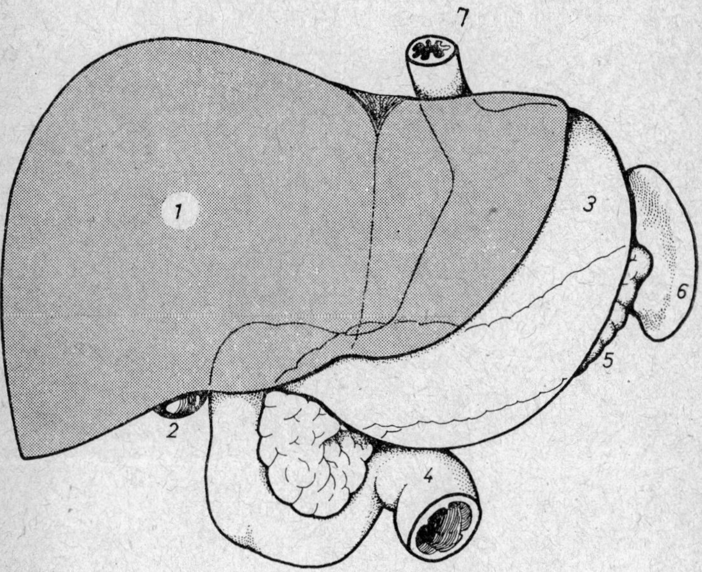

Abb. 2 Lage der Oberbauchorgane

1 Leber
2 Gallenblase
3 Magen
4 Zwölffingerdarm (Duodenum)
5 Bauchspeicheldrüse (Pankreas)
6 Milz
7 Speiseröhre (Osophagus)

einer wichtigen ärztlich-diagnostischen Maßnahme, wird der Feststellung der Leberfarbe große Aufmerksamkeit geschenkt. Die Leberoberfläche erscheint normalerweise spiegelnd und glatt. Das Organ besitzt eine weiche Konsistenz. Eine Verfestigung oder Verhärtung zeigt krankhafte Veränderungen an. Die Leber besitzt eine Kapsel; sie wird vom Bauchfell überzogen und ermöglicht das Vorbeigleiten benachbarter Gewebe und Organe. Diese umfassen Magen, Dickdarm und Netz. Die Gallenblase ist unterhalb des rechten Lappens angewachsen. In unmittelbarer Nähe liegen der Zwölffingerdarm (Duodenum) und die Bauchspeicheldrüse (Pankreas). Es gibt Lebererkrankungen, die sich auf die Umgebung auswirken. Andererseits können auch von dort aus Schädigungen auf sie übergreifen. – Die Leber hat eine

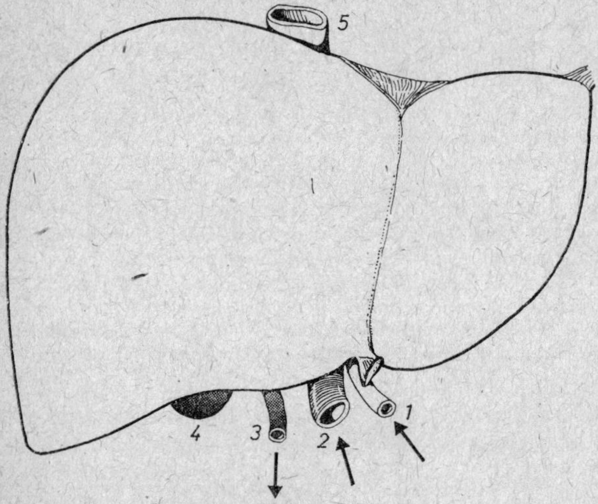

Abb. 3 Vorderansicht der Leber

1 Arterie
2 Pfortader
3 Gallengang
4 sichtbarer Teil der Gallenblase
5 Lebervene
(aus B. Wohlgemuth: Erkrankungen des Gallensystems, VEB Verlag Volk und Gesundheit Berlin 1978)

doppelte Blutversorgung. Wie jedes Organ des menschlichen Körpers besitzt sie eine Arterie. Dieses Gefäß ist verhältnismäßig klein. Den größten Teil des Blutes erhält das Organ über die Pfortader (Vena portae). Es kommt aus den Gefäßen des Magens und Darmes und transportiert die dort aufgenommenen Nähr- und Wirkstoffe, u. U. aber auch schädliche Substanzen, heran. Innerhalb der Leber mischt sich das Blut aus beiden Zuflüssen. Es durchströmt die Kapillaren, die in der Leber Sinusoide heißen, und sammelt sich in den Venen. Diese münden in die untere Körperhohlvene; sie gelangt nach kurzem Verlauf zum rechten Vorhof des Herzens.

Die Grundeinheit des inneren Leberaufbaues ist das Läppchen. Es hat ungefähr die Größe eines Quadratmillimeters und ist am besten unter dem Mikroskop zu beurteilen. Die Läppchen werden von Bindegewebszwickeln (sog. Portalfeldern) begrenzt, in denen die Blutgefäße und Gallengänge verlaufen. Nach einer modernen Einteilung werden Läppcheneinheiten in Zonen I bis III untergliedert. Sie unterscheiden sich durch unterschiedliche Sauerstoffgradienten und Enzymausstattungen. Die Leberzellen sind zu Strängen oder Balken zusammengefügt, die beidseitig von den Sinusoiden umgeben sind. Das ist die anatomische Grundlage des intensiven Stoffaustausches zwischen beiden Medien. Stellenweise werden die Sinusoide von Sternzellen begrenzt. Sie gehören zum retikulo-histiozytären System des Körpers

Abb. 4 Leberläppchen (mikroskopisch)

1 Bindegewebsdreieck
2 Leberzellbalken
3 Sinusoid
4 Zentralvene
5 Sternzelle (Abwehrzelle)

(RHS), das wichtige Abwehrfunktionen besitzt. Auf seine Aufgaben wird später eingegangen.
Die Leberzellen nehmen in ihrer Gesamtheit über die Hälfte des Organvolumens ein. Die würfelförmige Einzelzelle hat eine Kantenlänge von ca. 30 µm, d. h. $^1/_{30}$ mm. Sie zeigt einen kom-

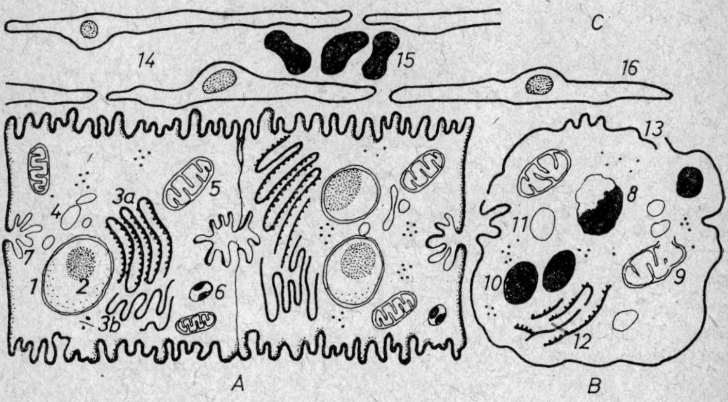

Abb. 5 Leberzellen (elektronenmikroskopisch)
A Leberzellen (normal) links mit einem, rechts mit zwei Kernen
B Leberzelle (absterbend)
C Sinusoid

1 Zellkern
2 Kernkörperchen
3 a rauhes zelleigenes Netzwerk
b glattes zelleigenes Netzwerk
4 Golgifeld
5 Fadenkörperchen (Mitochondrien)
6 Lysosomen
7 Gallenröhrchen
8 teils aufgequollener, teils geronnener Zellkern
9 aufgequollene Fadenkörperchen
10 Fett Tropfen
11 Vakuolen
12 zerbrochenes zelleigenes Netzwerk
13 defekte Zellmembran
14 Lichtung
15 rote Blutzellen
16 Sternzelle

plizierten Innenaufbau, der mit Hilfe des Elektronenmikroskopes erforscht wurde. Zum Verständnis der normalen und gestörten Funktionen ist es notwendig, die Zellbestandteile und ihre Aufgaben zu erläutern.
Der wichtigste Bestandteil der Zelle ist der Kern. Er enthält

Kernsäuren (Nukleinsäuren). In ihnen sind die entscheidenden Informationen für die gesamte Zellfunktion gespeichert. Sie werden durch ein kompliziertes System auf die im Zellkörper gelegenen Organellen übertragen und steuern deren Tätigkeit. Außerdem reguliert der Kern die Zellteilungen, die allerdings in der Leber des erwachsenen Menschen nur selten auftreten. Der Kern ist durch eine porenhaltige Membran vom Zellkörper getrennt.

Im Zellkörper liegen das rauhe und glatte Netzwerk (endoplasmatisches Retikulum). Die erstgenannte Form stellt ein Schlauchsystem dar, das die gesamte Zelle durchzieht und den Stofftransport ermöglicht. Von besonderer Bedeutung sind angelagerte Körner (Ribosomen), in denen die Bildung von Eiweißkörpern erfolgt. Diese Produktion kann auch in freien oder zu kleinen Gruppen zusammengefügten Körnern stattfinden. Das glatte Netzwerk stellt ein System aus Lamellen und Bläschen dar. Hier laufen wichtige Stoffwechselprozesse wie Verarbeitung von Gallenfarbstoff und die Entgiftung schädlicher Substanzen ab. Je nach dem Funktionszustand, d. h. „Arbeitsanfall", nehmen diese Strukturen innerhalb der Zelle viel Raum ein oder sind nur spärlich ausgebildet.

In der Mitte des Kernes liegt der sog. Golgi-Apparat. Das ist eine Häufung von Röhren und Bläschen, in denen die zur Ausscheidung bestimmten Zellprodukte angereichert werden.

Die Lysosomen sind kleine rundliche, zumeist in der Nähe des Gallepoles der Zelle lokalisierte Körperchen. Hier sind zahlreiche Enzyme konzentriert. Sie haben die Aufgabe, bestimmte aufgenommene Stoffe, aber auch verbrauchte Materialbestandteile aus der Zelle selbst, zu zerlegen und für den Abtransport vorzubereiten. Substanzen, deren Abbau nicht möglich ist, werden hier deponiert. Die Lysosomen sind ein wichtiger Anzeiger der zellulären Stoffwechselaktivität.

Schließlich sind die Fadenkörperchen (Mitochondrien) zu erwähnen. Sie bestreiten den Energiestoffwechsel der Zelle. Je nach Alter und Funktionszustand der Zelle wechselt ihre Anzahl. Im Vergleich zu anderen Körperzellen sind die Leberepithelien reichlich mit Mitochondrien ausgestattet (etwa 1000 pro Leberzelle).

Die Zelle wird von einer Membran umgeben, welche zur Vergrößerung der Oberfläche stellenweise gefaltet ist. Sämtliche Substanzen, die in den Stoffwechsel der Zelle eingehen, müssen diese Wand passieren. Unter krankhaften Bedingungen kommt

es vor, daß sowohl die Aufnahme als auch die Herausschleusung vermindert oder unterbrochen sein kann. Am auffälligsten ist eine derartige Transportstörung der Gallenfarbstoffe, da sie zu einer Gelbsucht führen kann (vgl. Kap. 4). Eine Seite der Leberzelle ist dem Sinusoid zugewandt (sog. Blutpol), die andere dem Galleröhrchen (sog. Gallepol).
Die Besprechung der Leberanatomie wäre ohne Eingehen auf das Gallensystem unvollständig. Dieses System dient der Ableitung der Gallenflüssigkeit aus der Leber in den Zwölffingerdarm. Die kleinsten Gallenröhrchen liegen zwischen den Leberzellen. Sie vereinigen sich zu immer größeren Gängen, die an der Leberpforte in einen gemeinsamen Gang, den Ductus hepaticus communis einmünden. Durch diesen fließt die Galle über einen Seitenast, den Ductus cysticus (Blasengang), in die Gallenblase. Nach der dortigen Eindickung durch Wasserentzug gelangt sie, wiederum durch den Ductus cysticus, in den Hauptgallengang (Ductus choledochus) und von diesem an der Papilla Vateri in den Zwölffingerdarm.
Die ableitenden Lymphgefäße von Leber und Gallensystem münden zunächst in die Lymphknoten am Leberhilus; der weitere Abfluß erfolgt über die zentralen mittleren Oberbauchlymphknoten in den Hauptlymphgang (Ductus thoracicus).
Anschluß an die nervale Versorgung erhalten Leber und Gallensystem durch Äste des unwillkürlichen Nervensystems (Nervus vagus und Nervus sympathicus) sowie durch einen gemischten willkürlich-empfindlichen Nervenast aus dem Rückenmark (Nervus phrenicus). Während bei Krampfzuständen in den Gallengängen äußerst intensive Schmerzen (Koliken) auftreten, entwickelt die Leber zumeist einen dumpfen Schmerz oder ein Druckgefühl. Dieses ist durch eine Kapselspannung bei der Anschwellung des Organs bedingt. Gelegentlich strahlt der Leberschmerz in die rechte Flanke oder Schulter aus.

Biochemie, Stoffwechsel, Funktionen

Man hat die Leber mit Recht als Zentrallaboratorium des menschlichen Körpers bezeichnet. In ihren Zellen laufen ständig eine große Anzahl von Reaktionen ab. Die vollständige Unterbrechung der normalen Arbeitsweise führt schon nach kurzer Zeit zum Tode des Menschen. Andererseits verfügt die Leber über eine erhebliche Reservekapazität; noch weniger als ein Viertel des

Organs vermag die Lebensfunktion aufrechtzuerhalten. Die zahlreichen Einzelaufgaben der Leber lassen sich zu folgenden großen Gruppen zusammenfassen:

- Verarbeitung der aufgenommenen Nahrungsbestandteile,
- Synthese von Eiweißkörpern bzw. Wirkstoffen,
- Produktion von Substanzen, die für den Verdauungsprozeß im Darm notwendig sind,
- Umwandlung des Blutfarbstoffes aus dem ständigen Abbau der roten Blutkörperchen,
- Entgiftung und Ausscheidung von Schadstoffen und Stoffwechselendprodukten,
- Mitbeteiligung an der Wärmeentwicklung.

Verarbeitung der aufgenommenen Nahrungsbestandteile

Mit der Nahrung gelangen die Hauptenergieträger Kohlenhydrate, Fette und Eiweiße sowie Vitamine, Mineralien und Spurenelemente in den Dünndarm. Dort werden sie unter dem Einfluß der überwiegend aus der Bauchspeicheldrüse stammenden Verdauungssäfte chemisch zerlegt und für die Resorption vorbereitet. Danach erreichen sie auf dem Blutweg die Leber. Hier erfolgen die wichtigsten chemischen Umsetzungen, die für die weitere Verwertung in den Körperzellen notwendig sind. Die in der Nahrung vorhandenen **Kohlenhydrate** liegen sowohl als Stärke wie auch als Einzelzucker (Monosaccharide) vor. Bei letzteren handelt es sich zumeist um Rohr-, Milch- und Fruchtzucker. Alle zusammen liefern über die Hälfte der für den Stoffwechsel benötigten Energie. Es ist die Aufgabe der Leber, die Energie gleichmäßig zu liefern. Das ist keine Selbstverständlichkeit, wenn man berücksichtigt, daß die Nahrungsaufnahme nicht kontinuierlich, sondern mahlzeitweise erfolgt. Außerdem müssen zu reichliche Aufnahmen oder Mangelzustände ausgeglichen werden. Im Zusammenhang mit dem endokrinen Anteil der Bauchspeicheldrüse (Pankreas) verfügt die Leber über ein Regulationsprinzip, durch das der jeweilige Blutzuckerspiegel, d. h. die Glukosemenge im Serum, auf gleichmäßiger Höhe von 80–120 mg% gehalten wird. Sie baut über ein stufenartiges Enzymsystem aus den Einzelzuckern die Speichersubstanz Glykogen auf. Diese macht etwa ein Zehntel des normalen Lebergewichtes aus. Aus dem Glykogen kann jederzeit durch eine rückläufige Enzymreaktion der Monozucker Glukose gebildet werden. Je nach Anflutung oder Verbrauch wird entweder Glykogen oder Glukose gebildet. So erhalten die Körperzellen stets

die erforderliche Menge des Energieträgers. Bei diesen Umwandlungsreaktionen spielt das Enzym Glukose-6-Phosphatase eine entscheidende Rolle. Es vermittelt die Bildung von Glukose-6-Phosphat, einer Vorstufe der Glukose. Fehlt das Enzym, ist der Abbau von Glykogen zu Glukose unmöglich. Das ist bei einer angeborenen Stoffwechselstörung der Fall, der Glykogenspeicherkrankheit (vgl. Kap. 4). Die Leber vermag Glukose auch aus anderen Grundverbindungen aufzubauen. Zu diesen rechnen Fettstoffe und bestimmte Aminosäuren, die Bausteine der Eiweiße. Von dieser sogenannten Glukoneogenese macht die Leber bei anhaltendem Kohlenhydratmangel Gebrauch. Das ist in Hungerzeiten der Fall. Als Reserven werden dann zunächst das Fettgewebe und später die Eiweißsubstanz der Gewebe und Organe angegriffen. Die Folge ist das Abmagern des Menschen und eine Störung seiner Organfunktionen.
Bei den im Körper vorkommenden **Fettstoffen** (Lipiden) unterscheidet man die einfachen und die zusammengesetzten Verbindungen. Außerdem werden zu den Fettstoffen noch die Steroide gerechnet, da sie sich gleich jenen nur in organischen Lösungsmitteln wie Äther, Xylol, Tetrachlorkohlenstoff u. a. lösen, nicht aber in Wasser. Die einfachen Fette sind aus Glycerin und Fettsäuren aufgebaut. Sie werden als Neutralfette oder Triglyceride bezeichnet. Im Körper sind sie vor allem im Unterhautfettgewebe, im Bauchraum (Netz, Darmgekröse) sowie in einigen Organkapseln vorhanden. Dieses Fettgewebe dient als Energiereserve und Wärmespeicher. Die zusammengesetzten Fettstoffe kommen in geringerer Menge vor. Sie enthalten als wirksame Gruppen Phosphorsäure oder bestimmte Zuckerverbindungen und befinden sich fest eingebaut innerhalb der Zellen. Insbesondere sind sie in Membranen enthalten. In energetischer Hinsicht spielt dieser Anteil keine Rolle. Die Steroide zeigen einen komplizierten chemischen Aufbau; sie enthalten 3 Kohlenstoffsechserringe und einen -fünferring. – Die Bedeutung der Leber für den Fettstoffwechsel liegt in Aufnahme, Umsetzung und Synthese der Verbindungen. Die resorbierten Fettsäuren werden nur zum Teil auf dem Blutwege in die Leber eingeschwemmt. Sie nehmen außerdem den Weg über die Lymphgefäße des Darmes direkt in das Blut, gelangen in die Fettgewebe und werden dort weiter verarbeitet. Die Leber besorgt vor allem den Aufbau der komplizierten Fettstoffe sowie der Folgeverbindungen. Eine Schlüsselsubstanz ist das Cholesterol. Es besitzt vielfältige Aufgaben. Zunächst wird es in die Membranen der Zellen einge-

baut. Die Membranen sind nicht einfache Trennwände, sondern schichtweise aufgebaute komplizierte Systeme. Sie haben die Aufgabe, den Stoffaustausch zwischen dem intra- und extrazellulären Raum zu beeinflussen. Bestimmten Substanzen wird der Durchtritt ermöglicht (auch gegen ein etwa vorhandenes Konzentrationsgefälle), andere werden zurückgehalten. An diesem Steuerungssystem ist das Cholesterol beteiligt. Weiterhin dient es als Ausgangsverbindung der weiblichen und männlichen Sexualhormone, der Nebennierenrindenhormone sowie des Vitamin D. Außerdem stellt es die Grundlage für die Gallensäurenproduktion dar. Cholesterol wird teilweise mit der Nahrung aufgenommen, teilweise aus Grundbausteinen in der Leber aufgebaut. Beide Prozesse beeinflussen sich gegenseitig. Die Bildung von Cholesterol unterliegt einem genauen Steuerungsmechanismus. Er sorgt dafür, daß die Menge des im Blutserum vorhandenen Cholesterols einen Spiegel zwischen 3,9 und 7,24 mmol/l weder unter- noch überschreitet. Unter krankhaften Bedingungen kann diese Regulation gestört sein. Besonders gefährlich ist eine Erhöhung des Spiegels über 8,53 mmol/l. Die Substanz lagert sich dann in den Arterienwänden ab und begünstigt die Entstehung einer Arteriosklerose. Es finden sich auch Depots in der Achillessehne zwischen der Wadenmuskulatur und dem Fersenbein, im Unterhautgewebe und an den inneren Augenwinkeln. Dort erkennt man gelbliche Flecken, die sogenannten Xanthelasmen. Diese Stoffwechselstörungen heißen Hyperlipoproteinämien. Man kann mehrere Erkrankungstypen unterscheiden. Außer dem Cholesterol werden in der Leber Phosphatide gebildet. Sie sind am Transport von Fettsubstanzen im Blut sowie am Aufbau von zelleigenen Membranen beteiligt. – Die Leber produziert weiterhin Azeton, welches nach seinem chemischen Aufbau Dimethylphenol entspricht. Die Substanz tritt normalerweise nur in geringer Menge als Zwischenprodukt des Fettstoffwechsels auf. Unter krankhaften Bedingungen, insbesondere beim Diabetes mellitus (Zuckerkrankheit) sowie im Hunger ist sie stark vermehrt. Durch Übersäuerung des Blutes kann dann ein lebensbedrohlicher Zustand eintreten. Die regulierende Funktion der Leber ist überfordert.

Mit dem Fettstoffwechsel im Zusammenhang steht auch das Vitamin A (Retinol). Es spielt eine entscheidende Rolle beim Sehprozeß. Eine Vorstufe dieses Vitamins ist die Substanz Karotin. Das Vitamin A wird entweder in fertiger Form aufgenommen (besonders reich sind Leber, vor allem Fischleber, Eigelb u. a. m.), oder es erfolgt eine Synthese aus den Vorstufen. Auch Karotinoide sind normalerweise in unserer Nahrung vorhanden, besonders in Karotten. Synthese und Regulation des Vitamin A erfolgt in der Leber. Schwere Erkrankungen dieses Organs führen – ebenso wie Vitamin-A-Mangelzustände aus anderer Ursache – zu Sehstörungen. Sie äußern sich in Wahrnehmungsschwierigkeiten in der Dämmerung bzw. absoluter Nachtblindheit. Als weitere Komplikationen werden ungewöhnlich starke Epithelverhornungen beobachtet. Sie finden sich an der Haut, an der Hornhaut des Auges und an inneren Organen; auch der Zahnaufbau kann gestört sein.

Insgesamt ist zu sagen, daß sich der Fettstoffwechsel durch enge Beziehungen zwischen dem Darm als Resorptionsort, dem Blut als Transportorgan sowie der Leber und dem Fettgewebe als Verwertungslokalisationen auszeichnet. Die Leber ist am Auf- und Abbau zahlreicher komplizierter Zellstrukturen beteiligt, steht im Zusammenhang mit dem Hormonstoffwechsel und beeinflußt dadurch die Tätigkeit vieler Organe.

Die Rolle der Leber im **Eiweißstoffwechsel** ist ebenfalls sehr vielseitig. Ihre Aufgaben erstrecken sich auf die Umsetzung und Synthese von Aminosäuren, die Neubildung hochmolekularer Eiweißkörper, die Entgiftung von Stoffwechselzwischenprodukten und die Bildung und Ausscheidung bestimmter Endprodukte. Ein Teil dieser Funktionen wird in den folgenden Abschnitten erläutert.

Die mit den Nahrungsmitteln zugeführten Eiweiße unterliegen im Magen und Dünndarm einem chemischen Abbau. Im sauren Milieu des Magens wirkt Pepsin ein, im Darm sorgen das Bauchspeicheldrüsenenzym Trypsin und verschiedene Peptidasen für eine Zerlegung in kleinere Bestandteile. Endprodukte sind Peptide und Aminosäuren. Sie werden resorbiert und mit dem Pfortaderblut der Leber zugeführt. Es gibt 20 verschiedene Aminosäuren; ihr gemeinsames Merkmal ist das Vorhandensein einer NH_2-Gruppe, sonst sind sie in Aufbau (Ketten- oder Ringmolekül), chemischer Reaktion (sauer, alkalisch, neutral) sowie in der Ausstattung mit wirksamen Gruppen unterschiedlich. 12 Aminosäuren vermag der Mensch aus Einzelbausteinen selbst zu synthetisieren; 8 müssen in fertiger Form aufgenommen werden, man bezeichnet sie als essentielle Aminosäuren. Die Aminosäuren sind ihrerseits wieder die Bausteine größerer Eiweißverbindungen. Man unterscheidet Struktur- und Funktionseiweiße. Bei den erstgenannten handelt es sich um die am Auf-

bau der Zellen und zwischenzelligen Strukturen (z. B. Knorpelmasse) beteiligten Substanzen. Zu den Funktionseiweißen zählen Enzyme, Abwehrstoffe, Hormone sowie Trägersubstanzen für andere Stoffe.
Es ist ein wesentliches Charakteristikum des menschlichen Körpers, daß seine Strukturen ständig erneuert werden. Das bedeutet eine fortwährende Herauslösung von Elementareinheiten oder Molekülgruppen aus Zellorganellen und deren Ersatz durch neue gleichartige Verbindungen. Es müssen also kontinuierlich verfügbare Materialreserven vorhanden sein. Andererseits fallen ununterbrochen bisher eingebaute Substanzen an. Dieser Auf- und Abbau hat in Verbindung mit den aus der Nahrung stammenden Eiweißen die Bildung eines allgemeinen Pools zur Folge. Die Leber übt dabei eine regulierbare Funktion aus; sie sorgt z. B. dafür, daß der Aminosäurespiegel im Blut eine gleichbleibende Höhe behält. Auch das quantitative Verhältnis der Grundbausteine zueinander wird von ihr reguliert. Darüber hinaus ist es der Leber möglich, Eiweißkörper in Kohlenhydrate umzubauen und damit im Bedarfsfall zusätzliche Energieträger zu gewinnen. Das Versagen der Leber führt zur Anreicherung von Aminosäuren und ihrer Ausscheidung im Urin. Wertvolle Bausteine gehen dem Körper damit verloren. Weitere Komplikationen entstehen aus der Unfähigkeit der kranken Leber, die Entgiftung des Stoffwechsels und die Bereitstellung von Ausscheidungsprodukten vorzunehmen.

Synthese von Eiweißkörpern bzw. Wirkstoffen

Eine der Hauptaufgaben der Leber besteht in der Synthese einer großen Anzahl von Eiweißen (Proteinen), die an das Blut abgegeben werden und mit diesem in den gesamten Organismus gelangen. Genauer gesagt handelt es sich um Plasmaproteine. Als Plasma wird die Blutflüssigkeit ohne rote und weiße Blutzellen sowie Blutplättchen bezeichnet; Plasma nach Entfernung der Gerinnungssubstanz Fibrin heißt Serum. Zu den wichtigsten hepatogenen Proteinen gehören Albumin, ein Teil der Globuline und mehrere an der Blutgerinnung beteiligte Verbindungen. Die Albumine stellen den größten Anteil der Bluteiweiße. Sie dienen der Wasserbindung und haben damit große Bedeutung für die Viskosität der Blutflüssigkeit. Außerdem treten sie als Trägersubstanz für eine Vielzahl von Verbindungen (Fettstoffe, Mineralien usw.) in Erscheinung. – Die Globuline besitzen unterschiedliche Funktionen; auch sie haben Transportaufgaben, z. T. gehen sie ziemlich stabile Verbindungen mit Fett- und Schleimstoffen ein. Ein Teil der Globuline rechnet zu den Abwehrstoffen, die gegen Bakterien und andere Schädlichkeiten gerichtet sind. – In den Blutgerinnungsvorgang greift die Leber durch Bereitstellung des Prothrombins und Fibrinogens ein. Der Gerinnungsprozeß ist sehr kompliziert. Er läuft in zahlreichen Schritten ab, die sich gegenseitig bedingen und aufeinander abgestimmt sind. Im einzelnen sind über ein Dutzend wirksamer Faktoren daran beteiligt. Eine Betrachtung unter dem Blickwinkel der biologischen Notwendigkeit macht diesen Absicherungsmechanismus durchaus verständlich: einerseits muß im Bedarfsfall die Blutgerinnung als lebenserhaltende Maßnahme rasch und zuverlässig eintreten, andererseits wäre ihr Zustandekommen ohne zwingende Notwendigkeit ein Verhängnis, das den Kreislauf blockieren und damit das Leben beenden würde. Auch auf diesem Gebiet obliegt der Leber eine steuernde Funktion.

Produktion von Substanzen, die für den Verdauungsprozeß im Darm notwendig sind

In der Leber wird die Gallenflüssigkeit produziert. Sie gelangt über die Gallenwege in den Dünndarm. Man spricht zunächst von der Lebergalle. Nach einem Eindickungsprozeß in der Gallenblase wird die Flüssigkeit als Blasengalle bezeichnet. Die unterschiedlichen Zusammensetzungen gehen aus Tabelle 1 hervor.

Tab. 1 Zusammensetzung der Gallenflüssigkeit
(In Anlehnung an Geigy, Wissenschaftliche Tabellen, 6. u. 7. Auflage 1962 und 1969, Geigy AG, Basel)

	Lebergalle	Blasengalle
Wasser (%)	97–98	84
Bilirubin (g/l)	0,65	2,94
Gallensäuren (g/l)	6,5–14,0	32,1–65,9
Cholesterol (g/l)	0,8– 1,8	3,1–16,2
Phospholipide (g/l)	1,0– 4,3	15,0–53,0

In sehr geringen Mengen sind Bikarbonat, Chlorid, Phosphor, Kalium, Natrium, Kalzium, Magnesium, Eisen, Kupfer, Mangan, andere Mineralien und weitere Substanzen enthalten.
Unter chemischem Aspekt enthält die Gallenflüssigkeit Wasser

sowie organische und anorganische Substanzen, in funktioneller Hinsicht beinhaltet sie Ausscheidungsprodukte (Schlackenstoffe) und Funktionssubstanzen für den Verdauungsvorgang im Darm. Bei den letzteren handelt es sich um die Gallensäuren Cholsäure und Chenodesoxycholsäure. Beide werden in der Leber aus Cholesterol gebildet und dienen im Darm der Emulgierung von Fetten. Das ist eine Voraussetzung für die Einwirkung der fettabbauenden Fermente (Lipasen) und die anschließende Resorption. Der größte Teil der Gallensäuren wird sodann selbst wieder resorbiert und zur Leber transportiert. Man bezeichnet diesen Prozeß als enterohepatischen Kreislauf; er tritt auch bei den Gallenfarbstoffen auf.

Umwandlung des Blutfarbstoffes aus dem ständigen Abbau der roten Blutkörperchen

Eine weitere grundlegende Stoffwechselfunktion besitzt die Leber beim Abbau des Blutfarbstoffes. Bekanntlich unterliegen die roten Blutkörperchen als kernlose Zellen einem ständigen Auf- und Abbau. Ihre Lebensdauer ist auf 120 Tage beschränkt. Normalerweise sind in einem Kubikmillimeter Blut 6 bis 8 Millionen Erythrozyten vorhanden. Der Umsatz der Erythrozyten beträgt pro Minute $1{,}4 \times 10^8$ Zellen. Die Neubildung erfolgt im Knochenmark. Der Abbau geht in den Sternzellen der Leber sowie in der Milz vor sich. Dabei erfolgt eine Herauslösung des Proteins (Globin) und Eisens aus dem Blutfarbstoff Hämoglobin; beide können wieder verwendet werden. Das Restmolekül heißt Biliverdin. Dieses wird zum Gallenfarbstoff Bilirubin umgewandelt. Die Leberzellen nehmen das Bilirubin auf und koppeln es an Glukuronsäure. In der gekoppelten Form erfolgt die Ausscheidung mit der Gallenflüssigkeit. Die Bindung an Glukuronsäure verändert die laborchemische Nachweismöglichkeit des Bilirubins. Dieser Unterschied ist für die Diagnose von Leberkrankheiten wichtig (vgl. Kap. 2). Im Darm erfolgt unter der Einwirkung von Bakterien eine weitere Umsetzung des Gallenfarbstoffes in Folgeprodukte. Ein Teil von diesen wird durch die Darmwand rückresorbiert und mit dem Pfortaderblut der Leber zugeführt (enterohepatischer Kreislauf der Gallenfarbstoffe). Eine andere Gallenfarbstoffverbindung gelangt über die Gefäße des Enddarmes in das allgemeine Venenblut und wird mit dem Harn ausgeschieden. Die restlichen Gallenfarbstoffe nehmen einen braunen Farbton an. Sie mischen sich dem Darminhalt bei, der sich immer mehr eindickt und ebenfalls braun färbt. Schließlich

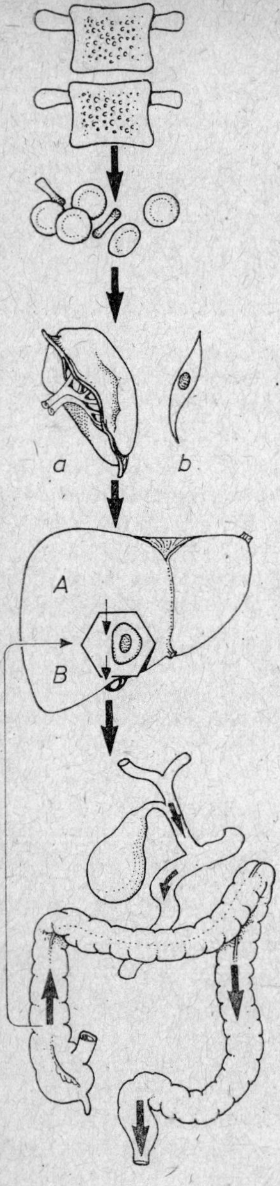

Lokalisation	Substanz
Knochenmark (Wirbel)	Protein (Globin) Eisen u. a.
Rote Blutkörperchen	Hämoglobin
a) Milz b) Sternzelle der Leber	Biliverdin u. a.
Leber mit schematisierter Zelle	Bilirubin A nicht gekoppelt B gekoppelt
Gallenwege und -blase	gekoppeltes Bilirubin
Dünndarm	gekoppeltes Bilirubin
Dickdarm	Stercobilinogen u. a.

Abb. 6 Herkunft und Verbleib der Gallenfarbstoffe

werden sie mit dem Kot ausgeschieden. Aus dieser Schilderung geht hervor, daß Farbänderungen von Urin und Stuhl wichtige Hinweise auf Erkrankungen der Leber oder des Gallenwegssystems geben können. Bei Verlegung der ableitenden Gallenwege wird der normale Abfluß der Gallenflüssigkeit in den Darm unterbrochen. In diesem Fall und bei anderen Erkrankungen treten Gallenfarbstoffe in das Blut über. Ihre Endprodukte werden dann nicht mit dem Kot, sondern mit dem Urin ausgeschieden. Die Schilderung dieser Verhältnisse erfolgt im Kap. 4 (Die Gelbsucht).

Entgiftung und Ausscheidung von Schadstoffen und Stoffwechselendprodukten

Die entgiftende und ausscheidende Funktion der Leber erstreckt sich auf körperfremde und körpereigene Substanzen. Die körperfremden stammen aus dem Darm. Man kann dabei mehrere Kategorien unterscheiden: Schädliche Nahrungsmittel oder Beimengungen zu diesen, sogenannte Genußgifte (Alkohol u. a.), chemische Substanzen wie Medikamente oder gewerblich verwendete Stoffe und schließlich Stoffwechselprodukte, die unter dem Einfluß von Bakterien im Darm entstanden sind. Die körpereigenen Giftprodukte entstammen dem Stoffwechsel. Eine entsprechende Substanz ist das Ammoniak. Es entsteht u. a. bei der Muskelarbeit. Die Leber baut diese stark toxische Substanz zu Harnstoff um; dieser wird ausgeschieden. Weiterhin kann es erforderlich sein, in bestimmten Situationen einzelne Hormone wie diejenigen der Nebenniere oder Schilddrüse zu inaktivieren. Auch diese Aufgabe kommt der Leber zu. Die Entgiftung wird durch chemische Reaktionen wie Oxydation, Reduktion, Abspalten wirksamer Radikaler, Aufbau neuer Substanzen und Hydroxylierung erreicht. Diese Vorgänge laufen im glatten endoplasmatischen Retikulum ab, das bereits bei der Besprechung des Aufbaues der Leberzelle erwähnt wurde. Die gesteigerte funktionelle Anforderung führt zu dessen Vermehrung, so daß große Teile des Zellkörpers von ihm eingenommen werden. Außerdem vergrößern sich die Lysosomen. Im weiteren Verlauf werden die unverwertbaren Substanzen zur Ausscheidung vorbereitet. Sie erfahren entweder eine Umwandlung von fettlöslichen zu wasserlöslichen Substanzen, die viel leichter entfernbar sind, oder sie werden an andere Substanzen angekoppelt. Auch dabei spielt die Glukuronsäure eine große Rolle. Insgesamt kann gesagt werden, daß es bei der Entgiftung vier Möglichkeiten gibt: – Die Leberzelle wandelt den toxischen Stoff um und scheidet ihn aus, – der Stoff wird verändert, aber nur teilweise oder gar nicht entfernt; der Rest bleibt innerhalb der Leberzelle gewissermaßen als „Abraum" deponiert, – die Giftwirkung ist so stark, daß die Leberzelle selbst geschädigt wird, sich nur langsam erholt oder dauernd leistungsgemindert bleibt, – unter dem Einfluß des Giftes stirbt die Leberzelle ab.

Mitbeteiligung an der Wärmeentwicklung

Die Leber ist das wärmste Organ des Körpers. Die Wärmeentwicklung beruht auf der intensiven Stoffwechseltätigkeit in Form der chemischen Umsetzungen. Die Temperatur des aus dem Organ abfließenden Venenblutes während der Verdauung beträgt über 41 °C. Eine gewisse Wärmespeicherung verdankt die Leber auch ihrer allseitig geschützten Lage im Bauchraum. Es wurde im Tierversuch nachgewiesen, daß nach Entfernung der Leber die Temperatur erheblich absank. Daraus kann geschlossen werden, daß dem Organ große Bedeutung beim Zustandekommen und der Erhaltung der normalen Körpertemperatur zukommt.

2. Die Leber im Test

Mit der Leber verhält es sich wie mit jedem Organ – solange es gesund ist und funktioniert, bleibt es unbemerkt. Da die Reservekapazität der Leber verhältnismäßig groß ist, tritt eine Leistungsminderung erst spät in Erscheinung. Die Hinweiszeichen auf Funktionsstörungen werden im Kap. 4 näher besprochen.
Beim Verdacht auf eine Lebererkrankung kommen zahlreiche Untersuchungsverfahren zur Anwendung. Sie beruhen auf verschiedenen Methoden und haben das Ziel, die vielfältigen Funktionen des Organs zu erfassen und gegebenenfalls Abweichungen von der Norm festzustellen. Die Untersuchungen besitzen eine Rangordnung, d. h. sie werden in einer bestimmten Reihenfolge durchgeführt. Da diese Taktik eine generelle Erscheinung in der modernen Medizin darstellt und auch bei der Untersuchung anderer Organe angewandt wird, erscheint es nützlich, kurz darauf einzugehen.
Die wichtigsten Faktoren, die die Durchführung diagnostischer Maßnahmen beeinflussen, sind folgende: Der Zustand des Patienten und die dadurch vorhandene, eingeschränkte oder nicht gegebene Möglichkeit, bestimmte Maßnahmen vorzunehmen. Weiterhin ist die Aussagefähigkeit einer Untersuchung von Bedeutung, d. h. der konkrete Erkenntnisgewinn, der im Hinblick auf die Krankheit erzielt wird. Wichtig ist die für die Durchführung der Untersuchung erforderliche Zeit. Auch die dem Arzt zur Verfügung stehenden technisch-apparativen Möglichkeiten gehören zu den genannten Faktoren. Schließlich ist die strikte Einhaltung sogenannter Kontraindikationen, d. h. Gegenanzeigen für bestimmte Maßnahmen, zu berücksichtigen. Diese sind durch die krankhaften Veränderungen selbst bedingt und würden die Untersuchung zu einer gefährlichen Aktion machen.
In der diagnostischen Praxis ist das Ergebnis der einen Untersuchung die Grundlage für die Durchführung einer weiteren Maßnahme. So gewinnt man – beginnend mit der Feststellung grober Funktionsausfälle – immer genauere Einblicke in die Art der Schädigung.

Untersuchungsmethoden

Die Grundlage jeder ärztlichen Diagnostik sind das Arzt-Patient-Gespräch und die körperliche Untersuchung. Es folgen zumeist Laboratoriumsuntersuchungen des Blutes und Urins. Bei bestimmten Fragestellungen können diese übrigens sehr kompliziert und langwierig sein. Weiterhin werden Röntgenuntersuchungen durchgeführt. Es können auch nuklearmedizinische Verfahren, d. h. Untersuchungen mit Verwendung radioaktiver Substanzen, erforderlich sein. Schließlich kommen spezielle diagnostische Maßnahmen wie Endoskopie- und Ultraschalluntersuchungen, Angiographien (spezielle Gefäßdarstellungen) und weitere Verfahren zur Anwendung. Eine besonders große diagnostische Sicherheit wird erreicht, wenn aus einem erkrankten Organ oder Gewebe ein kleiner Anteil entnommen und mikroskopisch untersucht wird. Man bezeichnet dieses Vorgehen als Biopsiediagnostik.

Arzt-Patient-Gespräch

Dieser erste diagnostische Schritt ist in seiner Bedeutung nicht zu unterschätzen. In systematischer Form werden die für den Körperzustand des Patienten wesentlichen Ereignisse erfragt und aufgenommen. Im Rahmen der Familienanamnese verschafft sich der Arzt einen kurzen Überblick über Alter, Hauptkrankheiten und eventuelle Todesursachen der nächsten Blutsverwandten. Bei den Angaben zur eigenen Person interessieren wichtige frühere Erkrankungen, Krankenhaus- oder Kuraufenthalte, Operationen, schwere Verletzungen bzw. Unfälle sowie Dauerleiden (etwa Diabetes mellitus = Zuckerkrankheit), Prothesen oder ein angelegter Herzschrittmacher. Anzahl und Besonderheiten von Schwangerschaften sollen angegeben werden. Die aktuellen Beschwerden sind hinsichtlich Dauer und Art zu schildern. Genau zu nennen sind Schmerzen und deren Ausstrahlungen, Druckgefühl, Unverträglichkeit von Nahrungsmitteln oder bestimmten Zubereitungsformen und Angaben zum Appetit sowie zu den Stuhlentleerungen (Durchfall, Verstopfung, Farbabweichungen, etwaige Blutbeimengungen); auch die Farbe des Urins ist von Bedeutung. Weiterhin sind Besonderheiten anzugeben wie Erbrechen, Übelkeit, Bluthusten oder -spucken oder eine frühere Gelbsucht. Allgemeine Angaben zur Leistungsfähigkeit bzw. einer eingetretenen Leistungsminderung, Müdigkeit, Abgespanntheit, raschen Erschöpfung und zu Schlafgewohnheiten sollen nicht fehlen. Zu erwähnen sind schließlich Veränderungen des Körpergewichtes innerhalb kurzer Zeit bzw. ohne erklärbare Ursache sowie sonstige Auffälligkeiten wie ein Anschwellen des Leibesumfanges. Werden Medikamente eingenommen, so sind diese zu nennen. Wichtig ist ferner ein Hinweis auf etwaige Unverträglichkeitserscheinungen gegenüber bestimmten Präparaten, die dem Patienten von früher bekannt sind. – Die Fragen nach Nikotin- und Alkoholverbrauch sind wahrheitsgetreu zu beantworten. Das ist in diesem Zusammenhang von besonderer Bedeutung. Man soll auch auf die berufliche Tätigkeit zu sprechen kommen, soweit dabei gesundheitsschädigende Substanzen eine Rolle spielen. In den meisten Fällen wird durch das Arzt-Patient-Gespräch die Richtung weiterer diagnostischer Maßnahmen erkannt und festgelegt.

Körperliche Untersuchung

Bei einer stationären Behandlung wird eine von Kopf-bis-Fuß-Untersuchung die Regel sein; bei einer Konsultation in der Sprechstunde erstreckt sich das Hauptaugenmerk des Arztes auf eine lokale Untersuchung. Die besten äußeren Bedingungen sind helles Tageslicht und ausreichend Platz zur Untersuchung des liegenden Patienten. – Zunächst ist es wichtig, die Größe der Leber und ihre Konsistenz festzustellen. Das gelingt durch genaues Abtasten des rechten Oberbauches in Verbindung mit einer einfachen Klopfschalluntersuchung. Dabei läßt sich auch die Oberflächenbeschaffenheit des Organs beurteilen, welche glatt, gehöckert oder knotig sein kann. Die beiden letztgenannten Möglichkeiten entsprechen krankhaften Befunden. Die Tastuntersuchung der Leber wird in den meisten Fällen mit einer Milzuntersuchung verbunden. Eine etwaige Vergrößerung dieses Organs läßt wichtige Rückschlüsse auf Störungen im Pfortadersystem zu. Weitere Hinweise auf Erkrankungen der Leber sind durch die Betrachtung der Haut und Schleimhäute zu gewinnen. Eine Gelbfärbung (Ikterus) spricht für Störungen des Gallenfarbstoffwechsels. Sie ist zuerst und bereits bei geringer Intensität an der Lederhaut des Auges wahrzunehmen. Die Gelbsucht ist ein vieldeutiges Krankheitszeichen; sie muß dringend weiter abgeklärt werden. Oft besteht gleichzeitig ein starker Juckreiz;

so können auch Kratzeffekte an der Haut als Krankheitszeichen gewertet werden. Gelegentlich finden sich an der Brust- oder Bauchwand kleine in Sternchenform angeordnete Blutgefäße oder punktförmige Blutungen. Auch Venenerweiterungen, u. U. mit hervortretendem geschlängeltem Verlauf um die Nabelgegend sind Kennzeichen einer Lebererkrankung. Bei fortgeschrittenen Krankheitszuständen kommt es zum Flüssigkeitsaustritt in die freie Bauchhöhle (Ascitesbildung). Dann sind besonders ärztliche Maßnahmen notwendig.

Laboratoriumsuntersuchungen

Die Laboruntersuchungen – wie sie im Alltag genannt werden – erstrecken sich auf Urin und Blut. Zunächst kommen die allgemeinen Grunduntersuchungen zur Anwendung. Im Urin fahndet man nach Gallenfarbstoffen. Bei starker Anreicherung derselben nimmt der Urin einen bereits mit bloßem Auge erkennbaren dunkelbraunen Farbton an. Im Blut werden die Anzahl der roten und weißen Blutzellen bestimmt sowie die Blutsenkungsreaktion (BSR) durchgeführt. Diese Reaktion zeigt das Verhältnis verschiedener Eiweißkörper im Serum zueinander an und läßt erkennen, ob z. B. eine Entzündung vorhanden ist. Auch im Serum werden die Gallenfarbstoffe bestimmt; dabei ergeben sich durchaus wichtige Hinweise auf die Art der Lebererkrankung. Es ist nachweisbar, ob das vermehrte Bilirubin die Leberzellen bereits passiert hat und an Glukuronsäure gekoppelt ist oder nicht. Im ersteren Falle handelt es sich um sogenanntes direktes, im letzteren um indirektes Bilirubin. – In den letzten Jahrzehnten sind eine Vielzahl von weiteren Proben erarbeitet worden, die unter dem Begriff „Leberfunktionstests" zusammengefaßt werden. Sie dienen entweder dem Nachweis eines Funktionskomplexes (z. B. der Eiweißbildung) oder einer ganz speziellen Reaktion der Leber (z. B. dem Wirksamwerden eines bestimmten Enzyms). Diese Untersuchungen bedürfen einer genauen kritischen Beurteilung. Sie müssen von Fall zu Fall in ihrer Aussage überprüft und gegebenenfalls eingeschränkt werden. Es hat sich nämlich gezeigt, daß eine Anzahl von ihnen nicht leberspezifisch ist. Das gilt im doppelten Sinne. Eine Probe kann krankhaft ausfallen, ohne daß die Ursache dafür in der Leber zu suchen wäre. Vielmehr könnte eine Entzündung eines anderen Organs vorliegen. Oder man gewinnt ein normales

Untersuchungsergebnis, obwohl die Leber krank ist. Diese Situation wird dadurch erklärt, daß die Leber über eine große Reserveleistung verfügt und den Funktionsausfall eines Teiles kompensieren kann. – Die hier interessierenden Leberfunktionsproben lassen sich in mehrere Gruppen untergliedern. Ein Teil von ihnen gibt Aufschluß über die Beschaffenheit der Leberzellen (z. B. über das Ausmaß von Nekrosen), ein anderer über die Funktionstüchtigkeit bei bestimmten Aufgaben (z. B. der Stoffausscheidung) und ein dritter über die Leistungsfähigkeit innerhalb des Stoffwechsels (z. B. die Synthesekapazität).

Zu der ersten Gruppe gehören die sogenannten Transaminase-Untersuchungen. Die Transferasen (ASAT = Aspartat-Aminotransferase, ALAT = Alanin-Aminotransferase) sind innerhalb der Leberzelle gelegene Enzyme. Bei der Zerstörung von Leberzellen gelangen sie in das Blutserum und können dort nachgewiesen werden. Das Ausmaß der Vermehrung im Blut läßt Rückschlüsse auf den Grad der Leberschädigung zu. – Die Ausscheidungsfähigkeit der Leberzellen wird geprüft, indem man Substanzen nachweist, die von der Leber normalerweise an die Gallenflüssigkeit abgegeben werden. Eine derartige Verbindung ist die alkalische Phosphatase. Dieses Enzym hat Bedeutung für den Knochen; es wird in geringem Umfang ständig von der Leber ausgeschieden. Bei einer Schädigung des Organs steigt sein Gehalt im Blut stark an. – Um eine gezielte Prüfung durchzuführen, kann man auch Substanzen in den Körper einbringen, von denen man weiß, daß sie die Leber passieren werden. Auf diesem Prinzip beruht der Bromsulfaleintest. Nach Injektion einer Farblösung in die Blutbahn kontrolliert man in bestimmten Abständen das Ausmaß der Verminderung im Blut. Je länger der Farbstoff dort nachgewiesen werden kann, um so geringer ist die Ausscheidungsfähigkeit der Leber. – Breiten Raum nehmen die Testmöglichkeiten für die Eiweißbildung seitens der Leber ein. Die Methode der Wahl dafür ist die Elektrophorese. Bei diesem Verfahren werden die verschiedenen im Blutserum enthaltenen Eiweißkörper infolge ihres unterschiedlichen Verhaltens bei der Einwirkung von elektrischem Strom getrennt. So können sie einzeln bestimmt und auch quantitativ erfaßt werden. Da die Leber der Bildungsort für zahlreiche Eiweiße ist, kann auf diese Weise eine Funktionsstörung festgestellt werden. Dem speziellen Nachweis der Gammaglobuline, einem für die Abwehr besonders wichtigen Eiweißkörper, sowie einer bestimmten Eiweiß-Fett-Verbindung dient der Thymoltest. Durch weitere, z. T. komplizierte und technisch aufwendige Nachweismethoden (Immunelektrophorese u. a.) lassen sich die Untergruppen der Globuline noch genauer charakterisieren. Besondere Bedeutung hat die Bestimmung des sogenannten Australia-Antigens (vgl. Kap. 4 „Entzündungen"). Mit immunologischen Verfahren können sowohl das Antigen als auch die vom Organismus dagegen gebildeten Antikörper nachgewiesen werden. – Die Leistungsfähigkeit der Leber innerhalb des Stoffwechsels ergibt sich aus einer Überprüfung des Blutspiegels der von ihr produzierten Substanzen. So kann der Cholesterolspiegel etwas über die Leberfunktion aussagen. Es sind darüber hinaus sogenannte Belastungstests entwickelt worden. Hierbei wird durch ein genau berechnetes Überangebot bestimmter Stoffe eine hohe funktionelle Beanspruchung erzeugt und die Reservekraft geprüft. Auf diese Weise kann die Aktivität der Leber bei der Bewältigung großer Kohlenhydratmengen ermittelt werden. – Über den Zustand der Leber kann man auch etwas durch die Bestimmung des Eisen- und Kupferspiegels im Serum erfahren; das sind ebenfalls geläufige Routinemethoden.

Insgesamt kann gesagt werden, daß die Labormethoden wichtige Ergebnisse für die Diagnostik von Lebererkrankungen liefern. Eine kritiklose Verwertung der Resultate ist jedoch nicht sinnvoll. In jedem Fall ist der klinische Zustand des Patienten, sein Befinden, entscheidender Bestandteil der Diagnose.

Im Verlaufe eines Krankheitsgeschehens kann es notwendig werden, den Ausfall bestimmter Laborproben zu überprüfen, um sie zu bestätigen oder etwaige Veränderungen festzustellen. Auch die Wirksamkeit der Behandlung läßt sich auf diese Weise objektivieren. In vielen Fällen wird es notwendig sein, weitere diagnostische Maßnahmen einzusetzen.

Röntgenverfahren

Diese Untersuchungsmethode hat nur für besondere Fälle Bedeutung. Im Gegensatz zum Knochen gibt die Leber bei der Durchstrahlung mit Röntgenstrahlen keine Kontraste; auch bei der Lunge liegen andere Verhältnisse vor. So ist das Verfahren für das Lebergewebe selbst ohne Wert. Darstellbar sind vielmehr das Gallengangsystem und die Aufzweigungen der Pfortader. Man muß dazu allerdings Kontrastmittel verwenden. Die-

ses sind Präparate, die auf Grund ihres Jodgehaltes im Röntgenbild dargestellt werden. Im Falle der Gallenwegsuntersuchung werden sie entweder in Tablettenform verabreicht oder in die Blutbahn injiziert. Die Leber scheidet die jodhaltige Substanz aus. Zu geeigneter Zeit angefertigte Röntgenbilder zeigen dann das intra- und extrahepatische Gallensystem. Bei Erkrankungen des Lebergewebes ist von derartigen Untersuchungen Abstand zu nehmen bzw. ihr Einsatz genau zu überprüfen. – Die Röntgenuntersuchung der Pfortader wird als Splenoportographie bezeichnet. Es ist eine komplizierte Maßnahme, die Spezialkrankenhäusern vorbehalten ist. Auch dabei ist die Anwendung eines Kontrastmittels erforderlich; es wird in die Milz (lat. Splen) eingespritzt und fließt von dort in die Leber. Mit Hilfe der Untersuchung gelingt es, Veränderungen am Gefäßsystem wie Einengungen oder Verschlüsse zu erkennen und genau zu lokalisieren. Das ist eine wichtige Voraussetzung für operative Heilverfahren.
Patienten mit Schilddrüsenerkrankungen sollten den Arzt bei geplanten Kontrastmitteluntersuchungen darüber informieren. Die Schilddrüse hat einen intensiven Jodstoffwechsel, so daß Komplikationen vermieden werden müssen. Andererseits soll ein Funktionstest der Schilddrüse frühestens 3 Monate nach einer Kontrastuntersuchung der Gallenblase durchgeführt werden.

Nuklearmedizinische Untersuchung

Diese Untersuchung ist in gewisser Weise mit dem Röntgenverfahren verwandt. Wie jenes wird es auch nur bei verhältnismäßig wenigen Fragestellungen zum Einsatz gelangen. Man injiziert ein radioaktives Präparat, etwa Technetium (^{99m}Tc) oder Jod (^{131}J), in die Blutbahn. Die Substanz gelangt in die Leber und verteilt sich normalerweise gleichmäßig im gesamten Organ. Die radioaktiven Strahlen dringen aus der Leber nach außen und werden dort mittels einer über der Haut angebrachten Meßeinrichtung erfaßt. Aus Unregelmäßigkeiten der Verteilung lassen sich Rückschlüsse auf krankhafte Veränderungen ziehen. So kann z. B. bei einer großen rundlichen Aussparung eine Leberzyste vorliegen. Das ist eine harmlose Fehlbildung. Es muß betont werden, daß jede Untersuchung mit einer äußerst geringen Menge (Aktivität) radioaktiver Substanz durchgeführt wird. Außerdem hat das verwendete Nuklid eine sehr kurze

Halbwertszeit, d. h. es zerfällt rasch in eine inaktive Verbindung. Diese ärztlich und physikalisch genau überwachten Untersuchungen besitzen keinerlei Gefährlichkeit. Im Endergebnis erhält man mit dieser Methode ein indirektes Abbild der Leber.

Ultraschalldiagnostik

Ein gleichartiger Effekt wie bei der vorstehenden Methode läßt sich mit der Ultraschalldiagnostik (Sonografie) erzielen. Von einem über dem rechten Oberbauch beweglich angebrachten Gerät werden Ultraschallimpulse in die Tiefe gesendet. Nach dem Echoprinzip wird ein Teil von diesen wieder zurückgeworfen und registriert. Durch Verschieben des Senders läßt sich die gesamte Leber sowie ihre Beziehungen zu den Nachbarorganen erfassen und aufzeichnen. Der diagnostische Gewinn liegt gegenwärtig überwiegend in der Auffindung und genauen Ortung von Hohlraumbildungen in der Leber. Die Methode läßt sich noch verfeinern und wird künftig weitere Erkenntnisse vermitteln, etwa über die Erweiterung der in der Leber gelegenen Gallengänge bei einem steinbedingten Verschluß.
Die Untersuchung ist – auch bei mehrfacher Wiederholung – völlig harmlos.

Bauchhöhlenspiegelung

Es entspricht einem elementaren ärztlichen Anliegen, eine erkrankte Region des Körpers direkt betrachten zu können. Um dieses auch für die inneren Organe zu erreichen, mußten technische Voraussetzungen besonderer Art geschaffen werden. Etwa seit 1928 gibt es für die Innenbetrachtung der Bauchhöhle geeignete Geräte. Sie gehören zur Gruppe der Endoskope (griechisch: endo = hinein, skopein = sehen) und werden Laparoskope (griechisch: lapara = die Weichen) genannt. Es handelt sich um ca. 1 cm dicke Metallrohre mit einem optischen System, einer Beleuchtung sowie einem Instrumentierkanal. Zur Laparoskopie wird der Patient in der Regel einige Tage stationär aufgenommen. Der Eingriff wird wie eine Operation unter sterilen Bedingungen vorgenommen. Gegenüber dieser hat er viele Vorteile. Er beeinträchtigt den Patienten weitaus weniger, dauert nicht so lange und zieht seltener Komplikationen nach sich. Darüber hinaus ist er kostengünstiger. Der Vorbereitung dient eine Auffüllung des Bauchraumes mit Luft. Sie erfolgt mittels Spritze nach lokaler Betäubung. So wird die Bauchdecke angehoben, und es entsteht genügend Platz für die Einführung und Bewegung des Laparoskops. Die Beurteilung der Leber und ihrer Umgebung ergibt wertvolle Hinweise auf Art und Ausmaß einer etwaigen Erkrankung. Selbstverständlich wird die Gallenblase in die Betrachtung einbezogen, da nicht selten gemeinsame Störungen vorliegen. Auch die übrigen zugänglichen Organe werden inspiziert. Vor allem ist eine Gewebsentnahme aus der Leber unter Sicht möglich. Dadurch können herdförmige Veränderungen gezielt entnommen und mikroskopisch abgeklärt werden. Für die gesamte Untersuchung benötigt man 20–30 Minuten. Von den Patienten wird relativ oft ein gewisses Völlegefühl durch die Luftauftreibung des Bauches angegeben. Seltener treten ziehende Schmerzen im Rücken auf, die bald wieder abklingen. Obwohl die Untersuchung ungefährlich ist, soll sie doch nur dann durchgeführt werden, wenn sich die Betrachtung der Leber für die Diagnose als unverzichtbar erweist.

Leberpunktion und Biopsie

Mit Hilfe der bisher erörterten diagnostischen Maßnahmen lassen sich zahlreiche Lebererkrankungen eindeutig und sicher abklären. Es verbleibt aber ein Anteil, bei dem das nicht der Fall ist und weitere Schritte erforderlich werden. Das kann mehrere Gründe haben. Einige Lebererkrankungen rufen so uncharakteristische Beschwerden hervor und zeigen so ähnliche Laborbefunde, daß sie schwer voneinander abzugrenzen sind; bei einigen Lebererkrankungen ist die genaue Feststellung des Krankheitsstadiums für die Behandlung von großer Bedeutung; bei manchen Patienten wird gelegentlich einer allgemeinen Untersuchung ein krankhafter Leberbefund erhoben, ohne daß sich der Betreffende leberkrank fühlt; andere Patienten haben Beschwerden, die verdächtig auf einen Leberschaden sind, dieser läßt sich aber mit klinischen Mitteln nicht bestätigen, schließlich wird bei bestimmten Fällen die Notwendigkeit bestehen, eine Mitbeteiligung der Leber an anderen Erkrankungen zu beweisen oder auszuschließen. In diesen Fällen (und einigen weiteren wie komplizierten Begutachtungsproblemen) ist die Durchführung einer mikroskopischen Leberuntersuchung (Biopsie) angezeigt.

Sie gilt gegenwärtig als sicherste diagnostische Maßnahme. Für die Gewinnung des Lebergewebes gibt es mehrere Möglichkeiten. Am häufigsten wird die perkutane Punktion durchgeführt. Man führt eine sehr dünne Kanüle (Durchmesser unter 1 mm) an genau festgelegter Stelle durch die örtlich betäubte Bauchhaut und saugt aus der Leber einen Gewebszylinder. Die unmittelbare Entnahme dauert weniger als eine Sekunde. Das Verfahren wird bei diffusen Lebererkrankungen angewandt. Soll eine herdförmige Veränderung untersucht werden, muß unter Sicht punktiert werden. Das geschieht bei einer Laparoskopie. Darüber hinaus kann bei einer Bauchoperation aus anderer Ursache ein Stückchen Lebergewebe entfernt werden, wenn man eine gleichzeitige Schädigung dieses Organs vermutet. – Nach der perkutanen Punktion verbleibt der Patient etwa zwei Stunden im Liegen. Grundsätzlich wird eine Leberpunktion stationär durchgeführt, d. h. es erfolgt eine kurzfristige Aufnahme in ein Krankenhaus. Es gibt aber auch Ärzte, die eine große Erfahrung mit dem ambulant vorgenommenen Eingriff haben. In jedem Fall sollte sich der Patient nach der Punktion selbst beobachten und verbleibende Schmerzen, etwaige Luftnot oder andere Beschwerden dem Arzt melden.

Der gewonnene Leberzylinder wird einer speziellen Bearbeitung unterzogen und unter dem Mikroskop ausgewertet. Bei bestimmten Fragestellungen werden auch elektronenmikroskopische und weitere Untersuchungen vorgenommen. Die moderne Medizin hat hierfür eine große Anzahl von Mikromethoden entwickelt, die eine hohe diagnostische Sicherheit besitzen.

3. Die gefährdete Leber

Als zentrales Stoffwechselorgan steht die Leber in ständiger Auseinandersetzung mit allen Substanzen, die der Mensch zu sich nimmt. Das unterscheidet sie grundsätzlich von anderen Organen wie Herz, Hirn und Nieren. Diese können zwar auch durch zugeführte Substanzen, z. B. Arzneimittel, beeinflußt werden, aber erst nachdem jene die Leber passiert haben. Die Leber stellt gewissermaßen die erste Großsammelstation für alles dar, was über den Magen-Darm-Kanal in den Körper gelangt. Hier wird sortiert. Was nützlich ist, wird verwertet, was entgiftet werden muß, erfährt chemische Veränderungen und wird ausgeschieden, was zerstörend wirkt, schädigt die Leber selbst. Wie im Kapitel 1 herausgestellt wurde, verfügt das Organ über zahlreiche Möglichkeiten, toxische Stoffe abzubauen und unschädlich zu machen. Dieses System muß jedoch – wie jedes – versagen, sobald es überfordert wird. Das kann durch besonders giftige oder sehr hohe bzw. über lange Zeiträume ständig anflutende Belastungen erfolgen.
Wir beschäftigen uns zunächst mit denjenigen äußeren Einflüssen, die in Form von Nahrungs- oder Genußmitteln, Medikamenten oder sonstigen chemischen Substanzen auf die Leber einwirken. Es handelt sich also um eine Gruppe von Faktoren, die – abgesehen von Extremsituationen – überhaupt nicht als Krankheitsursachen angesehen werden. Dennoch liegen hier eine Reihe von Schädigungsmöglichkeiten mit dem Ergebnis eines kranken Organs. Die Kennzeichnung „gefährdete" Leber soll mit Nachdruck darauf hinweisen, daß auf diesem Gebiet Schäden durchaus vermeidbar sind.

Leber und Ernährung

Die Zusammenhänge zwischen Leberstoffwechsel und Ernährung sind besonders bedeutungsvoll, da die Ernährung den langfristigsten – nämlich lebenslangen – Einfluß auf das Organ ausübt. Eine dauerhaft quantitativ oder qualitativ falsche Nahrung zieht mit hoher Wahrscheinlichkeit Leberschäden nach sich.

In dieser Darstellung werden unterschieden:

- Leberschäden durch Fehlernährung
- Leberschäden durch verdorbene oder infektiöse Nahrung
- Leberschäden durch giftige Bestandteile der Nahrung

Leberschäden durch Fehlernährung

Wir kennen im wesentlichen drei Formen der Fehlernährung, erstens den Nahrungsmangel, also ein generelles Zuwenig an Energieträgern, zweitens die falsch zusammengesetzte Nahrung und drittens die zu reichliche Nahrungszufuhr.

Länger andauernde Hungerzustände kommen in der Regel nur unter Ausnahmebedingungen zustande. In diesem Fall greift der Organismus auf die körpereigenen Reserven zurück. Zunächst werden die Depotorgane (Glykogen in Leber und Muskel, Fettgewebe) entspeichert. Später kommt es zur Mobilisierung von Eiweiß aus den Organen selbst. In dieser Phase werden auch die Leberzellen nicht verschont. Der Abbau der Leber kann durch Messung der reduzierten Organmasse nachgewiesen werden. Verstirbt ein Mensch infolge Hungers, so findet man seine Leber verkleinert und braun verfärbt. Die Farbveränderung kommt durch gespeicherte Restsubstanzen zustande; sie fallen beim Abbau der Leberzellen an. Eine gezielte Schädigung der Leber durch Hunger tritt also nicht ein. – Bei einer falsch zusammengesetzten Nahrung macht sich für die Leber vor allem ein zu geringer Eiweißgehalt nachteilig bemerkbar. Dabei ist entweder der gesamte Proteinanteil reduziert oder es handelt sich um die selektive Verminderung einzelner Aminosäuren. Derartige Auswirkungen auf die Leber sind besonders eingehend in Tierversuchen studiert worden, bei denen sich die Zusammensetzung der Nahrung genau kontrollieren läßt. So wurde gezeigt, daß die Aminosäuren Methionin, Tryptophan und Leucin sowie einige andere für die Leber besonders wichtig sind. Ihr Fehlen zieht zunächst funktionelle Störungen und später auch gestaltliche Veränderungen nach sich. So können Leberzellgruppen verfetten und einzelne Leberzellen absterben. In der menschlichen Ernährung kommen so genau definierte Mangelzustände in der Nahrung kaum vor. Dagegen spielen in verschiedenen industriell nicht entfalteten oder klimatisch stark benachteiligten Ländern der Welt, insbesondere in Afrika, der chronische Eiweißmangel eine Rolle. Er wirkt sich besonders bei Kindern aus. Sie haben während der Wachstumsperiode einen großen Bedarf, sind aber andererseits voll auf die ihnen angebotene (unterwertige) Nahrung angewiesen. Bei ihnen entwickeln sich sogenannte Dystrophie-Merkmale. Arme und Beine sind infolge Muskelunterentwicklung sehr dünn, während der Bauch durch eine verfettete Leber sowie eine Wasseransammlung (Ascites) aufgetrieben erscheint. Wenn derartige lebensbedrohliche Erkrankungen auch im einheimischen Patientengut fehlen, so darf doch angenommen werden, daß auch in unserer Nahrung nicht immer ein optimaler Eiweißgehalt vorhanden ist. Es besteht kein Zweifel, daß ein latenter Eiweißmangel die Leistungsfähigkeit der Leber einschränkt und ihre Reservekapazität negativ beeinflußt. Eine Folge ist die mangelhafte Bereitstellung von Abwehrstoffen und die sich daraus ergebende Anfälligkeit gegenüber Infektionen. – Ein zu geringer Kohlenhydrat- oder Fettgehalt der Nahrung führt erst bei Langfristigkeit zu allgemeinen Auswirkungen. In der Leber wird der Glykogengehalt aufgebraucht, und eine etwa vorhanden gewesene Fetteinlagerung schwindet. Dadurch verringert sich auch die Organmasse. Schwere Schäden werden nicht beobachtet. – Das Fehlen von Vitaminen oder Spurenelementen wirkt sich an anderen Stellen im Organismus schwerer als in der Leber aus. – Die zu reichliche Nahrungszufuhr betrifft zumeist Kohlenhydrate und Fette gemeinsam oder einen dieser beiden Stoffe. Da die Überernährung sehr häufig ist, soll etwas näher darauf eingegangen werden. Es ist allerdings nicht beabsichtigt, eine allgemeine ernährungsphysiologische Konzeption zu entwickeln. Der Energiebedarf des Menschen wurde bis zur Einführung der SI-Einheiten in Kalorien angegeben; an deren Stelle ist die Bezeichnung Joule getreten (1 Kalorie = 4,1868 J). Der tägliche Energiebedarf eines Menschen mit überwiegend sitzender Beschäftigung bzw. durchschnittlichem Leistungsanspruch beträgt ca. 8400 kJ (2000 kcal). Bei der Festlegung dieser Norm sollte man lieber etwas unterhalb der Maximalwerte bleiben. Im Alltag werden die errechneten Werte ohnehin eher überschritten als nicht erfüllt. Der tägliche Energiebedarf soll zu etwa 35 % durch Fette gedeckt werden; das entspricht einer Menge von 60–70 g pro Tag. Damit sind sichtbares und „unsichtbares" Fett gemeint, d. h. auch der Anteil in den anderen Nahrungsmitteln (Wurst, Käse usw.) und die zur Zubereitung verwendeten Fettstoffe. Bei diesen sollte es sich hauptsächlich um Pflanzenöle mit hohem

Gehalt an ungesättigten Fettsäuren handeln. – Setzt man für den Eiweißanteil der Nahrung die Optimalmenge von 1 g pro Kilogramm Körpermasse, so beträgt die dadurch bestrittene Energiemenge 1176 kJ (280 kcal). Es verbleiben somit noch rund 4200 kJ (1000 kcal) für die Kohlenhydrate. Das entspricht einer Menge von 250 g für Brot, Kartoffeln, Teigwaren usw. An dieser groben Schätzung mag abgelesen werden, in welchem Umfang eine tägliche Übermenge aufgenommen wird, selbst wenn man – wie bisher geschehen – die Getränke außer acht läßt. Mit zunehmender körperlicher Arbeit steigt auch der Energiebedarf an. Er beträgt beim Schwerstarbeiter 18 900–21 000 kJ (4 500 bis 5000 kcal).

Im Kapitel 1 wurde darauf hingewiesen, daß die Leber Kohlenhydrate und Fette ineinander überführen kann. Bei einem zu reichlichen Angebot kommt es im Endergebnis zu einer Vermehrung des Depotfettes, einer Fettsucht. Bis auf seltene Ausnahmen durch endokrine Störungen, d. h. ein Versagen bestimmter Hormondrüsen, ist bei einer Übergewichtigkeit immer an eine Fehlernährung zu denken. Die Leberzellen können die vermehrt anflutenden Fettstoffe nicht abbauen, sondern speichern sie unter Volumenzunahme. So entsteht die Leberverfettung bzw. die Fettleber (vgl. Kap. 4).

Leberschäden durch verdorbene oder infektiöse Nahrung

Verschiedene Einflüsse, z. B. Unterbrechung einer Kühlkette bei Tiefkühlgut, ungenügende Reinigung oder Zubereitung, unsachgemäße Aufbewahrung u. a. führen zum Verderb von Nahrungsmitteln. Die Hauptgefahr besteht in einer bakteriellen Verunreinigung. Oft finden Bakterien und andere Krankheitserreger auf den mehr oder weniger zubereiteten Speisen gute Nährböden vor; sie reichern sich an und überfluten beim Verzehr den Darm. Dort rufen sie eine Entzündung hervor, die sich in Durchfall, Erbrechen und Fieberschüben äußert. Bakterien und ihre Gifte werden nach Passieren der Darmwand mit dem Pfortaderblut in die Leber eingeschwemmt. Hier werden sie vom Schutzsystem der Sternzellen unschädlich gemacht. Gelegentlich tritt eine entzündliche Begleiterkrankung der Leber hinzu. – Schwerwiegender sind Infektionen mit Typhuserregern. Sie gelangen ebenfalls durch Verunreinigung der Nahrung in den Körper. Im Darm führen sie zum Befall des lymphatischen Gewebes. Sehr rasch dringen sie auch in die Blutgefäße ein und verbreiten sich im gesamten Organismus. Man spricht von einer Bakteriämie.

Dadurch kommen sie auch in die Leber, wo sich unter ihrer Toxinwirkung überaus viele hirsekorngroße Knötchen bilden. In diesen Bezirken gehen die Leberzellen zu Grunde. Die Gefährlichkeit des Typhus abdominalis liegt in der Darmentzündung. Sie läuft in mehreren Stadien ab und kann bei ungünstigem Verlauf eine Darmblutung oder einen Darmdurchbruch bewirken. Beide Komplikationen können ebenso wie eine toxische Herzschädigung zum Tode führen. In den meisten Fällen tritt Heilung ein. – Die in den Sommermonaten gehäuften Durchfallerkrankungen der Säuglinge, die überwiegend durch Coli-Bakterien hervorgerufen werden, können zu einer vorübergehenden Schädigung der Leber in Form einer Verfettung führen. Auch hier bestehen sehr gute Heilungsaussichten. – Eine gefürchtete Erkrankung der tropischen Länder ist die Amöbenruhr. Sie wird durch die Entamoeba histolytica verursacht. Befallen ist vor allem der Dickdarm, in dem sich ausgedehnte Geschwüre bilden. Sie können nach teilweiser Abheilung wieder aufbrechen. So entsteht ein langwieriger Verlauf. Die Leber kann in Form eines oder mehrerer Abszesse in das Krankheitsgeschehen einbezogen werden. Bei rechtzeitiger Erkennung sind die Heilungschancen gut. Mit der Intensivierung des Verkehrs und der Reisetätigkeit gewinnen derartige Erkrankungen auch für unsere Region an Bedeutung (vgl. Kap. 5, Leberveränderungen bei parasitären Erkrankungen).

Leberschäden durch giftige Bestandteile der Nahrung

Als typisches Beispiel für diesen Schädigungsweg gilt der Verzehr von giftigen Pilzen, insbesondere des Knollenblätterschwammes. Sie können durch Unachtsamkeit, Unkenntnis, gelegentlich aber auch durch Verwechslung zu einem Pilzgericht mitverwendet werden. Die wirksamen Substanzen sind die im Pilz enthaltenen Gifte Amanitin und Phalloidin. Sie führen zur Auflösung der Leberzellen. Das gesamte Organ wird innerhalb kurzer Zeit in Mitleidenschaft gezogen. Man spricht von einer akuten Leberdystrophie. Oft tritt ein Ikterus ein. Die Betroffenen werden bewußtlos und können trotz Zuhilfenahme intensivmedizinischer Maßnahmen nur selten gerettet werden. – Sollte während oder nach einer entsprechenden Mahlzeit Übelkeit, Brechreiz, Koliken, Bewußtseinsstörungen, Durchfall oder ähnliches bei einem oder typischerweise bei sämtlichen Personen auftreten, ist an eine Vergiftung zu denken. Unverzüglich muß eine Krankenhauseinweisung erfolgen. Bis dahin sind Maßnahmen zur Entleerung des Magens durch Würgereiz usw. durchzuführen. Leider vergeht keine Pilzsaison, in welcher in der DDR nicht einige Todesfälle dieser Art registriert werden müssen – trotz eines leistungsfähigen Pilzberatungsdienstes.

Leber und Alkohol

Die Beziehungen zwischen Leber und Alkohol sind mehrschichtig. Sie beschränken sich nicht auf eine ausschließlich medizinische Fragestellung, sondern weiten sich zu einem Problem von gesellschaftlicher Bedeutung aus. Die gegenwärtige Situation ist mit einem Satz zu charakterisieren: Alkohol ist der am weitesten verbreitete Schadstoff für die Leber. Eine der Hauptschwierigkeiten auf diesem Gebiet liegt darin, daß die Informationen diejenigen Menschen, die es betrifft, nicht erreichen oder bei ihnen die Wirkung verfehlen. Dieser Zustand ist um so ernster zu bewerten als die entstehenden gesundheitlichen Schäden durchaus vermeidbar wären.
Die Aufnahme des Alkohol (Äthanol = C_2H_5OH) durch die Schleimhaut beginnt bereits in der Mundhöhle. Sie wird im Magen fortgesetzt und erreicht ihren Höhepunkt im Dünndarm. Der Alkohol tritt in das Blut über und verteilt sich im gesamten Organismus. Er dringt in Gewebe und Organe ein, und zwar um so reichlicher, je mehr Wasser und je weniger Fettstoffe sie enthalten. So wird in Abhängigkeit von der Konzentration und der Menge des Getränkes, dem Füllungszustand des Magens sowie der Trinkzeit ein bestimmter Alkoholspiegel im Blut sowie eine Alkoholkonzentration in den Organen erreicht. 7–8 % der aufgenommenen Menge werden durch die Lunge mit der Atemluft ausgeschieden. Die restlichen über 90 % verbleiben im Körper. Ihr Abbau erfolgt fast ausschließlich in der Leber. Die Leberzellen enthalten das Enzym Alkoholdehydrogenase. Dieses vermittelt in einem Oxydationsprozeß die Umwandlung des Äthanols zu Azetaldehyd. Durch weitere Reaktionen entsteht schließlich Essigsäure. Sie wird in den allgemeinen Stoffwechsel eingebracht und energiebringend verwertet. Als Endprodukte treten CO_2 und H_2O, also Kohlendioxid und Wasser, auf. Neuerdings wurde nachgewiesen, daß neben diesem Hauptabbauweg noch ein weiterer besteht, der aber auch an die Leber gebunden ist.
Die Gefährdung der Leber und des ganzen Stoffwechsels durch

Alkohol wird durch mehrere Faktoren verursacht. Zunächst ist das Organ während der Zeit des Alkoholabbaues für andere Stoffwechselprozesse nicht verfügbar. Auf Grund der hohen Oxydationsleistung verarmen die Zellen an entsprechenden Enzymen und müssen diese erst wieder regenerieren. Außerdem wird der vorhandene Sauerstoff ausschließlich für den Alkoholabbau verwendet und fehlt bei anderen Reaktionen. Insgesamt ist die normale Stoffwechselaktivität der Leber durch die Bewältigung des Alkohols unterbrochen.

Wird die Leber zu diesem Zeitpunkt mikroskopisch untersucht, so erkennt man folgende Schäden: Die Mitochondrien sind vergrößert, einzelne Zellbestandteile sind zusammengeklumpt, stellenweise sind ganze Leberzellen abgestorben, gelegentlich findet man eine Ablagerung von Gallenfarbstoffen. Praktisch immer ist eine Verfettung zahlreicher Leberzellen vorhanden. Im späteren Verlauf, d. h. bei jahrelanger Alkoholeinwirkung, tritt eine Entzündung hinzu. Es bildet sich Bindegewebe innerhalb des Organs; der Endzustand ist eine Schrumpfleber.

Bei der alkoholbedingten Leberschädigung muß eine akute und eine chronische Form unterschieden werden. Der akute Schaden tritt unmittelbar nach der Konsumtion einer großen Alkoholmenge auf. Die Blutalkoholkonzentration beträgt in einem derartigem Zustand 1,5 ‰ (starke Alkoholbeeinflussung) bis 3 ‰ (sehr starke Alkoholbeeinflussung). Die psychischen Verhaltensweisen und Fehlleistungen des Trinkenden stehen im Vordergrund. Prüft man in diesem Zustand jedoch die Laborwerte der Leber, so erhält man bei einem Teil der Betroffenen objektive Hinweise für das Absterben von Leberzellen. Die Transaminasewerte steigen an. Hat die Leber Zeit zur Erholung, so wird der Defekt ausgeglichen.

Die chronische Schädigung tritt bei anhaltenden Alkoholbelastungen auf. Geht man von einem völlig gesunden Organ aus und sind regelrechte Ernährungsverhältnisse vorhanden, so können dazu folgende Berechnungen angestellt werden. Im Verlauf von 24 Stunden kann die Leber 60 bis 80 g Alkohol abbauen. Das sind etwa 8 bis 10 kleine Gläser (0,25 l) Pilsner Bier oder 8 bis 10 normale Gläser (0,02 l) 38–40%iger Getränkesorten (Wodka, Whisky, Doppelkorn usw.). Eine vergleichbare Alkoholmenge ist in einer 0,7-l-Flasche Weißwein oder Rotwein bzw. in einer 0,35-l-Flasche Eierlikör enthalten. Bei Überschreitung der angegebenen Mengen besteht die Gefahr der Leberschädigung. Liegt das Alkoholquantum über 60 bis 80 g pro Tag, so ist eine Lebererkrankung die unvermeidliche Folge. Diese Angaben betreffen das männliche Geschlecht. Die für Frauen gültigen Werte liegen eindeutig unter den genannten, nach den Ergebnissen einzelner Forscher etwa bei einem Drittel oder noch niedriger. – Die Trinkergewohnheiten spielen bei der Leberschädigung eine erhebliche Rolle. Der gleichmäßig hohe Alkoholkonsum wird schlechter vertragen als etwa von Zeit zu Zeit durchgeführte Trinkexzesse – auch beim Übereinstimmen der Gesamtmengen.

Von großer Bedeutung für die Wirkung des Alkohols auf die Leber sind schließlich zwei weitere Faktoren: die Ernährung sowie eine frühere oder gleichzeitige Leberschädigung aus anderer Ursache. Wenn die Ernährung eines Menschen mit hohem Alkoholverbrauch nicht vollwertig ist, bewirkt der Alkohol schwerere Schäden. Das gilt besonders für einen etwaigen Eiweißmangel, bei dem die Leber sehr bald die Leistungsfähigkeit verliert und über Verfettung und Nekrosen dauergeschädigt wird. – Eine kranke Leber „verträgt" viel weniger Alkohol als das gesunde Organ. Dabei kommt es nicht so sehr auf die Art der Leberschädigung an als vielmehr auf die Tatsache der Krankheit überhaupt. Besonders gefährlich ist die Alkoholeinwirkung während einer Virushepatitis oder deren Folgen einschließlich der Ausheilungszeit (vgl. Kap. 4, Entzündungen). Bei jeder Form der Gelbsucht muß Alkohol strikt gemieden werden. Auch bei der Schrumpfleber besteht konsequentes Alkoholverbot. Nicht jede Lebererkrankung verläuft in klinisch eindeutiger Weise. Es kann vorkommen, daß die Krankheitsmerkmale so gering ausgebildet sind, daß der Betroffene sich zwar nicht ganz wohlfühlt, aber keinen direkten Hinweis auf eine erkrankte Leber bietet. Wenn in so einer Situation eine Alkoholbelastung auftritt, kann es u. U. zu einem plötzlichen Leberversagen kommen.

International gesicherte Statistiken weisen aus, daß Menschen mit einem hohen Alkoholverbrauch vermehrt leberkrank sind, insbesondere häufiger an Leberzirrhose (Schrumpfleber) leiden. Sie sterben früher als es nach dem Altersdurchschnitt zu erwarten wäre.

Leber und Medikamente

Auf den ersten Blick könnte es überraschend, ja widersinnig erscheinen, von einer Leberschädigung durch Medikamente zu sprechen. Medikamente werden verordnet und eingenommen, um Krankheiten zu beseitigen und nicht um Störungen hervorzurufen. Trotzdem muß man sich mit dem Problem beschäftigen. Es hat sich nämlich gezeigt, daß manche Medikamente unerwünschte Nebenwirkungen aufweisen. Diese betreffen oft die Leber.

Die weitaus meisten Arzneimittel werden oral verabreicht. Man nimmt sie in Tabletten-, Dragee- oder Kapselform zu sich. Die Wirkstoffe werden im Magen oder Darm resorbiert und wie alle aufgenommenen Substanzen der Leber zugeführt. Auf dem Blutweg gelangen auch die durch Einspritzung angewandten Heilmittel in die Leber. Hier erfolgt ein Um- und Abbau der oft komplizierten chemischen Verbindungen. Das Ziel dieser Umsetzungen besteht darin, die nicht mehr genutzten Bestandteile der Medikamente wieder aus dem Körper zu entfernen. Das geschieht zum größten Teil über die Gallenflüssigkeit. Zur Ausscheidung müssen die Substanzen wasserlöslich sein. Da die Medikamente aber oft in fettlöslicher Form vorliegen – sie besitzen so eine größere Stabilität bis zur Entfaltung ihrer Wirksamkeit –, müssen sie zu wasserlöslichen Verbindungen umgebaut werden. Diese Aufgabe fällt der Leber zu. Ihre Zellen besitzen im glatten endoplasmatischen Retikulum (vgl. Kap. 1) ein Wirksystem, das diese Funktionen erfüllt. Das Besondere an diesem System ist seine Fähigkeit, sich selbst bei entsprechendem Arbeitsanfall zu vergrößern. Bei der mikroskopischen und besonders bei den starken Vergrößerungen der elektronenmikroskopischen Betrachtung kann man eine entsprechende Funktionssteigerung ziemlich genau feststellen.

Störungen auf diesem Gebiet beruhen auf verschiedenen Ursachen. Sie können auftreten, wenn ein Medikament in zu hoher Dosierung oder zu lange eingenommen wird. Sie können auch dadurch bedingt sein, daß gleichzeitig mehrere Präparate eingenommen werden, die sich gegenseitig ungünstig beeinflussen. Eine weitere Störungsquelle ist die Unterdrückung der normalen Aufgaben der Leberzelle für die Zeit der Verarbeitung des Medikamentes. Weiterhin kann eine Überempfindlichkeit des Körpers gegen bestimmte Medikamente vorliegen. Schließlich gibt es Pharmaka, von denen bekannt ist, daß sie selbst oder bei ihrem Abbau entstehende Spaltprodukte toxisch auf die Leber einwirken. Ihre Anwendung ist aber bei manchen Krankheitszuständen unumgänglich. In diesen Fällen muß besonders verantwortungsbewußt zwischen dem gewünschten Therapieeffekt und einer möglichen nachteiligen Begleiterscheinung auf die Leber abgewogen werden.

Die Schilderung läßt eine komplizierte Situation erkennen. Vielfältig in Art und Ausmaß sind auch die Veränderungen an der Leberzelle. Am auffälligsten für den Patienten selbst ist eine Beeinträchtigung des Gallenflusses. Der Farbstoff kann in der Leberzelle oder den kleinen Galleröhrchen zurückgehalten werden und in das Blut übertreten. Dann entwickelt sich eine Gelbsucht (vgl. Kap. 4), die mit starkem Juckreiz verbunden sein kann. Andere Veränderungen bestehen in Leberverfettung oder einer Entzündung. Je nach Wirkungsdauer bestimmter Medikamente kommen akute oder chronische Entzündungen zur Ausbildung.

In den letzten Jahren ist wiederholt darauf hingewiesen worden, daß unerwünschte, gelegentlich sogar gefährliche Nebenwirkungen bei der Einnahme von oralen Kontrazeptiva (= Ovulationshemmer bzw. „Pille") beobachtet wurden. Die betreffenden Frauen klagen über Oberbauchschmerzen, Druckgefühl im rechten Oberbauch sowie einen flüchtigen Ikterus. Die Laborbefunde weisen auf eine Leberschädigung unterschiedlicher, meist geringer Intensität hin. Auch die feingewebliche Untersuchung läßt Schäden erkennen. Gelegentlich finden sich Knotenbildungen in der Leber. Sie entsprechen kugelförmigen Wucherungen und sind gewöhnlich gutartig. Es ist aber möglich, daß durch sie Komplikationen wie innere Blutungen hervorgerufen werden. Erst nach dem Absetzen der Präparate bilden sich die krankhaften Erscheinungen wieder zurück.

Die Zahl der Arzneimittel, die zu Störungen des Leberstoffwechsels führen können, ist sehr groß. Sie finden sich praktisch in allen Medikamentengruppen, so in Schmerzmitteln, Antibiotika und Sulfonamiden, Präparaten gegen Wurmleiden, Tuberkulose und Nervenkrankheiten, Abführmittel, Hormone, Kontrastmittel (Präparate zur Röntgendarstellung innerer Organe) sowie Medikamenten, die bei Bluterkrankungen und bösartigen Geschwülsten eingesetzt werden. Es ist demnach von großer Bedeutung, bei der Fahndung nach der Ursache von Leberstörungen auch an die Nebenwirkung von Medikamenten zu denken. Es wird auch verständlich, daß bei Lebererkrankungen aus anderer Ursache bestimmte Arzneimittel abgesetzt werden müssen, da sie eine zusätzliche Belastung darstellen würden. Im Endergebnis ist eindringlich darauf hinzuweisen, nur die unbedingt notwendigen und ärztlicherseits verordneten Arzneimittel einzunehmen.

Leber und Chemikalien

Beruf und Umwelt bringen den Menschen mit zahlreichen chemischen Substanzen in Kontakt. Man verwendet sie bei der Arbeit, im Haushalt und beim Hobby. In der Regel ist bekannt, ob es sich um schädliche oder ungefährliche Stoffe handelt. Arbeitsschutzanordnungen und weitere Hinweise dienen dem sorgsamen Umgang und entsprechenden Vorsichtsmaßregeln. Gesundheitsschädigende Situationen können jedoch auftreten, wenn diese außer acht gelassen werden oder der Arbeitsablauf gestört wird. In diesen Fällen können anorganische oder organische Schadstoffe in den Organismus gelangen. Das geschieht entweder durch Einatmung oder Aufnahme über den Magen-Darm-Kanal; seltener tritt eine Resorption über die Haut ein. Besondere Aufmerksamkeit erfordern Kohlenwasserstoffe. Sie sind als Lösungs- und Reinigungsmittel sowie Weichmacher weit verbreitet und werden z. T. in großen Mengen gelagert und verwendet. Zu dieser Gruppe gehören Benzol, verschiedene Naphtholverbindungen sowie vor allem die halogenierten Abkömmlinge. Am bekanntesten ist Tetrachlorkohlenstoff. Auch Trichloräthylen ist in diesem Zusammenhang zu nennen. Schwere Leberschäden können durch überdosierte Inhalationen gesetzt werden. Zuerst treten Verfettungen auf, später kommt es zur Zerstörung von Leberzellen. Sie können bei massiver Anflutung den Tod infolge Leberversagens nach sich ziehen. Besonders empfindlich ist die kindliche Leber. Infolge grober Fahrlässigkeiten im häuslichen Bereich sind Kleinkinder schon durch einfache Reinigungsmittel zu Schaden gekommen. – Arsen, Blei und Quecksilber sowie organische Phosphorverbindungen gelten ebenfalls als lebertoxisch. Die erstgenannte Substanz fand früher als Schädlingsbekämpfungsmittel im Weinanbau Verwendung, wurde aber wegen der Nebenwirkungen zurückgezogen. Blei, Quecksilber und Phosphor sind jedoch vielerorts in technologische Prozesse integriert, letztere besonders als Pflanzenschutzmittel. In den letzten Jahren wurde beobachtet, daß unter den

mit der Polyvinylchlorid-Herstellung (PVC) Beschäftigten bösartige Lebergeschwülste auftraten.
Für den Zusammenhang zwischen Leberstoffwechsel und chemischen Substanzen gilt im Prinzip das bereits bei der Alkoholeinwirkung Gesagte: Eine kranke oder vorgeschädigte Leber ist viel empfindlicher als ein gesundes Organ. Die Krankheitsvorgeschichte sollte daher bei der Planung des beruflichen Einsatzes berücksichtigt werden. Wer mit leberschädigenden Substanzen bei seiner Berufsarbeit zu tun hat, muß außerdem durch regelmäßige Reihenuntersuchungen überwacht werden.

4. Die kranke Leber

Lebererkrankungen spielen nicht nur im Leben des Einzelnen eine Rolle wie es im Folgenden geschildert wird, sie besitzen auch für die Allgemeinheit große Bedeutung. Ursachen dafür sind die hohe Infektiosität mancher Erkrankungen und die dadurch bedingten großen Erkrankungsziffern sowie der u. U. langwierige Verlauf mancher Krankheit. Andererseits ist die Entstehung von Leberkrankheiten oft von der Ernährungssituation oder sonstigen Lebensbedingungen abhängig.
Im internationalen Maßstab sind die einzelnen Leberkrankheiten durchaus unterschiedlich verteilt. In Ländern mit starker Bevölkerungsdichte dominieren die ansteckenden Entzündungen. Regionen, in denen Nahrungs-, insbesondere Eiweißmangel herrscht, sind durch das Auftreten von Stoffwechselstörungen, Schrumpflebern und Geschwülsten gekennzeichnet. In Gebieten mit einem hohen gewohnheitsmäßigen Alkoholverbrauch finden sich gehäuft Fett- und Schrumpflebern. Länder mit sogenanntem hohen Lebensstandard und einer Überflußernährung weisen ebenfalls einen großen Anteil von Patienten mit verfetteten Lebern auf. Schließlich sind die durch Arzneimittel verursachten Leberschäden in den entwickelten Industrieländern mit einem entsprechenden Angebot und Verbrauch besonders vertreten.
In der DDR stehen unter den Leberkrankheiten die durch Viren hervorgerufenen Entzündungen sowie die Verfettungen im Vordergrund. Nicht unbeträchtlich ist auch der Anteil der Schrumpflebern. Neben den bekannten und in ärztlicher Behandlung befindlichen Erkrankungsfällen rechnet man damit, daß bei 2 % der Bevölkerung unentdeckte Leberschäden vorhanden sind. Das sind in der DDR rund 340 000 Personen.

Allgemeine Krankheitszeichen

Bei Erkrankungen der Leber muß man, wie bei allen anderen Organen, zwei Kategorien von Krankheitszeichen unterscheiden.

Erstens gibt es Hinweise allgemeiner Art und zweitens kommen spezielle Symptome einer bestimmten Leberkrankheit vor.
Zu den allgemeinen Erscheinungen rechnen Appetitmangel, Aufstoßen, Übelkeit, Sodbrennen, Unverträglichkeit mancher Speisen, gelegentliches Erbrechen, Anomalien des Stuhlganges, insbesondere Verstopfung, weiterhin Blähungen, Meteorismus sowie ein Druckgefühl im rechten Ober- bzw. Mittelbauch, das sich bis zu zeitweiligen Schmerzen im gesamten Bauchraum steigern kann. An dieser Aufzählung ist unschwer zu erkennen, daß es sich teilweise um häufige Ereignisse handelt. Einige besitzen nicht einmal den unbedingten Charakter eines Krankheitszeichens, sondern werden – durchaus mit Recht – als Unpäßlichkeit bezeichnet. Darin liegt zugleich die Schwierigkeit für den Betroffenen wie für den Arzt. Niemand wird bei gelegentlichem Aufstoßen, Sodbrennen oder Blähungen eine Sprechstunde aufsuchen, und doch können diese Befunde Ausdruck einer Lebererkrankung sein. Im Kapitel 1 wurde versucht darzustellen wie kompliziert der Beitrag der Leber zum Verdauungsprozeß und zur weiteren Nahrungsverwertung ist. Schon geringfügige Abweichungen in der Zusammensetzung der Gallenflüssigkeit, z. B. des Gallensalzanteiles, können zu Störungen der Fettverdauung führen, die ihrerseits wieder die Funktion der Leber beeinflussen. In diesen Fällen gilt es zu unterscheiden, ob eine vorübergehende Verstimmung vorliegt oder eine echte Krankheit. Hier ist eine gewisse Selbstbeobachtung des Einzelnen am Platze. Wenn sich mehrere der genannten Zeichen kombinieren, wenn sie plötzlich auftreten oder ungewohnt lange anhalten, wenn sich darüber hinaus ein echtes Krankheitsgefühl entwickelt und wenn vor allem keine äußeren Ursachen wie Diätfehler, Allgemeininfekte, Ortswechsel o. ä. vorliegen, dann sollte man doch einen Arzt konsultieren. – Im Säuglingsalter kommt es zu anderen Krankheitserscheinungen. Gedeihstörungen, mangelnde Gewichtszunahme in Verbindung mit Erbrechen und Entleerungsstörungen können Hinweise auf einen Leberschaden geben.

Die Gelbsucht (Ikterus)

Das auffälligste Symptom einer Leber- oder Gallenerkrankung ist die Gelbsucht. Die wissenschaftliche Bezeichnung für die Verfärbung lautet Ikterus. Der Begriff entstammt der griechischen Sprache und bezog sich ursprünglich auf den gelben Vogel Pirol.

Da der Ikterus nicht die Krankheit selbst darstellt, sondern lediglich ein Hinweiszeichen ist, muß seine Ursache dringend und unverzüglich abgeklärt werden.
Eine Gelbsucht kann plötzlich, etwa über Nacht, auftreten oder sich allmählich entwickeln. Ihr Beginn wird manchmal von Schmerzen begleitet oder er folgt einer Kolik einige Tage nach, in anderen Fällen verspürt der Betreffende überhaupt nichts. Er wird erst am Spiegel oder durch eine zweite Person auf die Gelbfärbung aufmerksam gemacht. Gewöhnlich wird der Ikterus zuerst an der Lederhaut (Sklera) des Auges sichtbar, später dehnt sie sich auf die gesamte Haut und die Schleimhäute aus. Der erfahrene Arzt erhält bereits aus dem Farbton Hinweise auf die Ursache des Ikterus. Liegt eine gelb-rötliche Farbe vor, so spricht dies für eine Lebererkrankung. Eine strohgelbe Nuancierung tritt bei erhöhtem Blutabbau auf. Die grünliche Verfärbung findet sich bei einem mechanischen Verschluß der Gallengänge; dauert dieser länger, so schlägt er in ein schwarzgrünes Kolorit um. In der genannten Farbbeurteilung erschöpft sich natürlich nicht die Diagnostik, aber sie liefert doch erste Anhaltspunkte.
Die Gelbsucht ist von zwei weiteren Erscheinungen begleitet: einer Farbveränderung des Urins und Kotes und einem oft erheblichen und hartnäckigen Juckreiz der Haut. Gallenfarbstoffe, die nicht auf dem normalen Weg bzw. in erforderlichem Umfang in den Darm abfließen, treten in das Blut über. Daher kann der Darminhalt nicht die normale braune Farbe annehmen. Er bleibt hell bzw. tonfarben und wird als acholischer Stuhl bezeichnet. Die im Blut angereicherten Gallenfarbstoffe gelangen in die Nieren und werden dort mit dem Urin ausgeschieden. Dieser färbt sich dunkelbraun. Das Hautjucken ist gelegentlich ein Frühsymptom, d. h. es kann schon vor dem Sichtbarwerden des Ikterus auftreten. Mit entsprechenden Arzneimitteln ist diese Komplikation in den meisten Fällen gut zu unterdrücken.
Bei der genauen Untersuchung des Ikterus und seiner Entstehungsbedingungen hat man drei Ursachenkomplexe erkannt. Erstens kann ein erhöhter Blutabbau, zweitens eine Erkrankung der Leber und drittens eine Verlegung der Gallengänge zum Ikterus führen. Der Schaden liegt also einmal vor, zum anderen innerhalb und schließlich jenseits der Leber.
Der erste Fall tritt ein, wenn rote Blutkörperchen (Erythrozyten) im Übermaß abgebaut werden. Dann kann die Leber die zu reichlich anfallenden Folgeprodukte des Blutfarbstoffes nicht

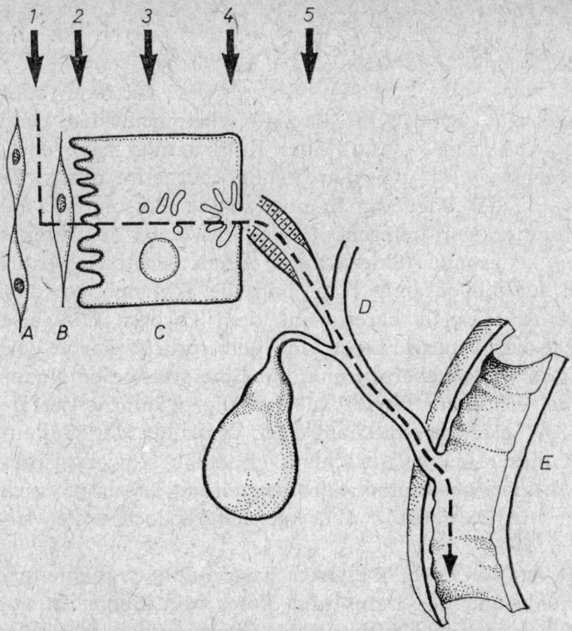

Abb. 7 Entstehungsmöglichkeiten der Gelbsucht

1 vermehrtes Angebot an Blutfarbstoff
2 verminderte Aufnahme durch die Leberzellmembran
3 Störung der Verarbeitung in der Leberzelle
4 verminderte Ausscheidung aus der Leberzelle
5 Passagebehinderung im Gallenwegssystem
A Sinusoid (Blutkapillare)
B Sternzelle
C Leberzelle
D Gallenwege und -blase
E Zwölffingerdarm
Die punktierte Linie entspricht dem normalen Transportweg der Gallenfarbstoffe

bewältigen. Sie reichern sich im Blut an und rufen die Gelbsucht hervor. Es handelt sich um einen sogenannten hämolytischen Ikterus. Er wird auch als (Über)produktionsikterus bezeichnet. Diese Form ist besonders durch das Vorhandensein von indirektem Bilirubin gekennzeichnet (vgl. Kap. 2, Laboratoriumsuntersuchungen). – Die Verlegung der Gallenwege wird am häufigsten durch Steine hervorgerufen. Besonders gefährlich sind in dieser Hinsicht Steine von Linsen- bis Kirschkerngröße. Sie können aus der Gallenblase, wo sie zumeist gebildet werden,

eine Wanderung in den Hauptgallengang (Ductus choledochus) antreten und dort steckenbleiben. Eine Steineinklemmung ist in der Regel mit kolikartigen Schmerzen verbunden. Ein Verschluß der Gallengänge kann auch durch vergrößerte Lymphknoten oder bei Geschwulstleiden eintreten. – Komplizierter ist die Situation beim Ikterus infolge eines Leberschadens. Es hat sich herausgestellt, daß im System des Gallenfarbstoffwechsels in der Leberzelle mehrere Schwachpunkte vorhanden sind. Zu den wichtigsten gehören die Leberzellmembran, das in der Zelle gelegene Enzymsystem und der Ausscheidungsmechanismus in das Gallenröhrchen. Die Membrandurchlässigkeit wird insbesondere durch Arzneimittel oder toxische Substanzen ungünstig beeinflußt; eine Enzymbeeinträchtigung kann durch bestimmte Antibiotika bedingt sein und der Übertritt in das ableitende Gallenwegsnetz wird von verschiedenen Hormonpräparaten negativ beeinflußt. Neben diesen ziemlich genau lokalisierbaren Defekten, die nur zeitweise auftreten, kann es bei der Zerstörung der gesamten Leberzelle zum Ikterus kommen. Es ist auch für den Arzt nicht immer einfach, den Ort der Schädigung herauszufinden. Die Schwierigkeiten werden um so größer, je mehr sich einzelne der aufgezählten Möglichkeiten kombinieren.
Neben dem Ikterus gibt es weitere spezielle Krankheitszeichen. Die Größe und Konsistenz der Leber wird durch die Abtastung festgestellt. An der Haut können rötliche Farbabweichungen der Handinnenflächen sowie verstärkte Blutgefäßzeichnungen an der Brust- und Bauchregion auftreten.

Krankheitsformen

Wie bei jedem anderen Organ werden auch bei der Leber die Vielzahl der Krankheiten in ein System gebracht. Dieses umfaßt folgende Gruppen: Mißbildungen, angeborene funktionelle Defekte, Entzündungen, Stoffwechselstörungen, Schrumpfleber, Leberversagen und Geschwülste. Es kann nicht die Aufgabe dieser kleinen Abhandlung sein, eine spezielle Krankheitslehre der Leber darzulegen. Vielmehr sollen einige Grundlagen der Erkrankungen erläutert werden. Weiterhin soll auf besonders häufige Erkrankungen näher eingegangen werden. Es handelt sich also um eine Auswahl.

Mißbildungen

Mißbildungen der Leber sind selten. Praktische Bedeutung besitzen fehlerhafte Anlagen der intrahepatischen Gallengänge. Sie können völlig oder teilweise fehlen, oft betrifft das dann auch die außerhalb der Leber gelegenen. Die betreffenden Säuglinge zeigen eine schwere Gelbsucht. Im Gegensatz zu dem leichten Ikterus, den jedes Neugeborene wenige Tage nach der Geburt aufweist und dann wieder verliert, nimmt hier die Verfärbung ständig zu. Trotz aller Anstrengungen der Kinderchirurgen konnte bis heute noch kein Operationsverfahren mit dauerhaften Heilungsaussichten entwickelt werden. – Eine andere Mißbildung besteht in der zu reichlichen Ausstattung der Leber mit Gallengängen und Bindegewebe. Sie sind knäuelartig vermehrt und erweitert. In diesen Fällen sind die Lebenserwartungen weitaus besser. Es können sich allerdings leicht Infektionen entwickeln. Die Veränderung ist häufig mit Mißbildungen der Nieren kombiniert.

Angeborene funktionelle Defekte

Die systematische Erforschung dieser Erkrankungsgruppe begann erst vor einigen Jahrzehnten. Eine Voraussetzung dafür waren die Fortschritte der Entwicklung der Biochemie. Durch verbesserte Untersuchungsmethoden konnten die komplizierten Stoffwechselprozesse der Leberzellen weitgehend aufgeklärt werden. Sie sind an Enzyme gebunden. Fehlt ein derartiges Enzym, so kann eine Substanz nicht weiter verwertet werden; der Stoffwechsel wird unterbrochen. Je nach dem Stoffwechselweg unterbleibt die Synthese zu größeren Komplexen oder der Abbau zu kleineren Verbindungen. Die Folge ist ein Aufstau der jeweiligen Substanz, die sich nun entweder in der Leber ablagert oder giftig wirkt. – Als Beispiel sei ein Mangel an Glukose-6-Phosphatase angeführt. Dieses Enzym ist zum Abbau der Substanz Glykogen notwendig (vgl. Kap. 1). Bei seinem Fehlen ersticken die Leberzellen gewissermaßen an dem nicht verwertbaren Glykogen. Es entwickelt sich eine Speicherleber mit Fibrose. In leichteren Fällen kommt es zu einer allmählichen Besserung. Die Erkrankung ist selten. Es gibt eine Anzahl ähnlicher Störungen des Kohlenhydratstoffwechsels, bei denen andere Enzyme betroffen sind. So kann die Verwertung von Milchzucker (Galaktose) oder Fruchtzucker (Fructose) gestört sein. Bei diesen Erkrankungen ist die rechtzeitige Erkennung von entscheidender Bedeutung für das weitere Schicksal der Kinder. Nur wenn eine fachkundige Behandlung erfolgt, die u. a. das Absetzen der unverträglichen Nährsubstanzen einschließt, haben sie Überlebenschancen.

Entzündungen (Hepatitis)

Diese Gruppe nimmt einen der wichtigsten Plätze unter den Lebererkrankungen ein. Eine Leberentzündung wird als Hepatitis bezeichnet. Es handelt sich allerdings keineswegs um eine einheitliche Gruppe. Vielmehr müssen eine Anzahl unterschiedlicher Entzündungsformen unterschieden werden. Das ist oft eine schwierige ärztliche Aufgabe, die den Einsatz aller diagnostischen Mittel erfordert. Die größte Rolle spielen die ansteckenden Leberentzündungen. Es folgt die Gruppe der chronischen Hepatitiden. Von Bedeutung sind weiterhin Entzündungen, die zunächst außerhalb des Organs beginnen bzw. dort lokalisiert sind, sich aber im weiteren Krankheitsverlauf ausbreiten und die Leber in die Entzündung einbeziehen.
Die ansteckende oder infektiöse Hepatitis (Hepatitis infectiosa) ist weltweit verbreitet. Im europäischen Raum liegt eine besonders hohe Erkrankungsdichte vor. Sie verläuft jedoch innerhalb längerer Zeiträume nicht gleichmäßig, sondern wellenförmig. Diese Schwankungen treffen auch für die DDR zu. Nach den Angaben des Statistischen Jahrbuches der DDR 1978 fanden sich Erkrankungsgipfel zwischen 1957 und 1961 sowie zwischen 1964 und 1967. In jenen Jahren erkrankten zwischen 24 und 27 auf 10 000 Personen. Seit 1974 ist der Befall merklich zurückgegangen; er liegt gegenwärtig bei 3–5 pro 10 000 Einwohner. Betroffen sind alle Altersklassen unter Einschluß von Säuglingen und Kleinkindern. Die Krankheit wird von Viren übertragen, was ihr auch die Bezeichnung Virushepatitis eingebracht hat. Neben dieser Hauptform der Virushepatitis wird die Leber bei einigen anderen Virusinfektionen in Mitleidenschaft gezogen, so bei der Zytomegalie-Krankheit. Sie spielen aber zahlenmäßig keine Rolle und bleiben hier unberücksichtigt.
Die Hepatitis infectiosa hat eine lange Geschichte. Schon vor Jahrhunderten war auf Grund genauer Beobachtungen angenommen worden, daß es sich um eine ansteckende Krankheit

handelt. Sie grassierte besonders dort, wo viele Menschen auf engem Raum lebten und tätig waren, also vorzugsweise unter Soldaten. Ursächlich wurden für den Ausbruch nicht selten die Umweltbedingungen wie Witterung, geographische Besonderheiten oder die Qualität bzw. Zusammensetzung der Nahrung verantwortlich gemacht. Dann kamen wieder Zeiten, in denen körpereigene Störungen wie psychische Störungen oder Darmkatarrhe in den Mittelpunkt des Interesses rückten. Etwa vor 100 Jahren ließ sich in Verbindung mit der Verbreitung des Impfwesens die Übertragbarkeit der Hepatitis sichern. Weitere Untersuchungen – und das ist bis zum gegenwärtigen Zeitpunkt aktuell geblieben – deuteten auf das Vorhandensein von Viren als Krankheitserreger, und zwar auf zwei Arten. Die klassische Auffassung besagt, daß die Virushepatitis A nur auf oralem Wege übertragen wird und eine Inkubationszeit von 3 bis 4 Wochen hat. Die Virushepatitis B entsteht durch eine parenterale Infektion, d. h. durch Einbringen der Erreger in den Körper auf anderem Wege als dem Magen-Darm-Trakt. Infrage kommen Verletzungen der Haut oder Schleimhäute. Besondere Bedeutung besaßen ärztliche Maßnahmen wie Blutentnahme, Injektionen, Infusionen oder Operationen, bei denen durch die Geräte Erreger übertragen wurden. Erst später lernte man durch spezielle Sterilisationsverfahren Abhilfe zu schaffen. Als Infektionsquelle kommen weiterhin Bluttransfusionen in Betracht. Darauf ist die vielfach verwendete Bezeichnung Serumhepatitis bzw. Transfusionshepatitis zurückzuführen. Die Inkubationszeit der Virushepatitis B beträgt 2 bis 4 Monate. Auf Grund neuerer Untersuchungen gilt es als sicher, daß sie wie die A-Form oral verbreitet werden kann, wenn auch seltener. Weitere Unterschiede zwischen der Hepatitis A und Hepatitis B liegen vor allem auf serologischem Gebiet.

Bei der Virushepatitis B kann im Blut des Patienten in einem sehr hohen Anteil (80–95 %) das sogenannte Australia-Antigen nachgewiesen werden. Bei der A-Form kommt es dagegen nicht vor. Das Australia-Antigen wurde 1965 im Rahmen von Untersuchungen entdeckt, die einem ganz anderen Ziel dienten. Seinen Namen verdankt es dem Umstand, daß es sich im Serum eines australischen Ureinwohners befand, welches bei den Analysen verwendet wurde. Weitere gezielte Untersuchungen, die mit verschiedenen Methoden vorgenommen wurden, führten zu der Erkenntnis, daß das Antigen aus mehreren Unterstrukturen besteht. Sie liegen in der Größenordnung von 20 bis 40 nm. Eines

von ihnen, das sogenannte core (= Innenkörper), stellt das infektionsübertragende Virus dar. In Verbindung mit der Hülle (= surface) wird der Erregerkomplex nach seinem Entdecker DANE-Partikel bezeichnet; er befindet sich nur im Serum. – Weitere Untersuchungen ergaben, daß das Australia-Antigen nicht nur bei Hepatitiskranken, sondern auch bei klinisch gesunden Personen nachgewiesen werden kann. Relativ häufig findet es sich bei Menschen, die an bestimmten anderen Krankheiten leiden und im Laufe der Zeit zahlreiche Injektionen usw. erhalten haben. Auch bei ärztlichen, pflegerischen und technischen Mitarbeitern in Blutspendezentralen und Dialyseeinrichtungen ist es weit über dem Durchschnitt verbreitet. Schließlich gibt es in der normalen Bevölkerung einen Anteil von Australia-Antigen-Trägern (ungefähr 0,8 %), bei dem man über die Ursache nichts weiß. Diese Menschen sind nach ihrem Gesamtbefund mit Sicherheit nicht selbst krank. Sie stellen aber möglicherweise als Erregerausscheider eine Infektionsgefährdung für ihre Umgebung dar. Auf keinen Fall kommen sie etwa als Blutspender in Betracht. Ob weitere hygienische Maßnahmen zu ergreifen sind, hängt von der jeweiligen Situation ab. Es handelt sich um ein aktuelles wissenschaftliches Problem, das noch keineswegs als abgeschlossen gelten darf.
Auch die Erreger der Virushepatitis A sind in den letzten Jahren aufgefunden worden. Es sind ebenfalls kleine Teilchen, die im Stuhl von Patienten dargestellt werden konnten. Die Betreffenden sind praktisch nur während der Inkubationszeit ansteckend; ist die Erkrankung ausgebrochen, hört die Virusausscheidung und damit die Ansteckungsfähigkeit auf.
Schließlich lassen neuere und neueste Befunde vermuten, daß es außer den Virushepatitiden A und B noch weitere Formen geben muß. Sie werden mangels besserer Kenntnisse vorerst als non-A non-B-Hepatitis bezeichnet. Es bleibt künftigen Forschungen vorbehalten, auf diesem Gebiet weitere Erkenntnisse zu erarbeiten. Einige Kliniker sehen den Krankheitsverlauf der Virushepatitis B für schwerer an als den der A-Form.
Die feingeweblichen Veränderungen innerhalb der Leber sind bei beiden Hepatitis-Arten gleich; man kann also durch die mikroskopische Untersuchung einer Leberbiopsie keine Typenentscheidung treffen. Eine Differenzierung gelingt nur, wenn mit Spezialuntersuchungen Australia-Antigen-positives Material nachgewiesen werden kann. Dann liegt eine B-Hepatitis vor.
Bei beiden Hepatitisformen gibt es mehrere Verlaufsmöglich-

keiten. Die weitaus größte Anzahl verläuft unkompliziert und heilt völlig aus.
Die Virushepatitis beginnt nicht selten mit uncharakteristischen Vorläufererscheinungen. Störungen von seiten der Verdauung, Appetitmangel, Übelkeit, gelegentlich auch ziehende leichte Schmerzen unter dem rechten Rippenbogen können erste Anzeichen sein. Von Fall zu Fall werden Schmerzen in den Gelenken angegeben. Alle diese Symptome entsprechen einer allgemeinen Virämie, d. h. einer Periode, in welcher sich die Erreger bereits im Körper befinden und auf dem Blutweg über die Organe verteilt werden. Der eigentliche Manifestationsort für die Erkrankung ist die Leber. Ihr Befall wird durch das Auftreten der Gelbsucht kenntlich. Häufig bessern sich jetzt rasch die übrigen Beschwerden. In der Regel wird dieser Zeitpunkt als Beginn der Erkrankung angesehen. Die Gelbsucht kann während der folgenden Tage zunehmen; der Stuhl entfärbt sich und der Urin wird dunkel. Nach 2 bis 3 Wochen kommt es zum Abklingen des Ikterus. Die Erkrankung selbst dauert bei unkompliziertem Verlauf 8 Wochen. – Das Krankheitsgefühl des Patienten ist unterschiedlich, im allgemeinen jedoch nicht sehr schwer ausgeprägt. Fieber tritt nur bei einem Teil der Fälle auf; die Erhöhung der Temperatur ist nur gering und hält wenige Tage an. Bei der ärztlichen Untersuchung erweist sich die Leber als vergrößert. Das ist das wichtigste Krankheitszeichen; allerdings kann es bei jedem fünften der Erkrankten fehlen. Von den Laborbefunden sind die positiven Gallenfarbstoffnachweise neben einem vermehrten Bilirubinspiegel hervorzuheben. Die Transferasewerte sind vermehrt. Einen wichtigen Hinweis liefert die Erhöhung des Serumeisengehaltes. Nur in schweren Fällen lassen sich Veränderungen der Bluteiweißkörper sowie einzelner Gerinnungsfaktoren nachweisen. Mehrfachuntersuchungen in sinnvollen Abständen dienen der Verlaufskontrolle.
Neben diesem typischen Ablauf gibt es mehrere Verlaufsvarianten. Verhältnismäßig häufig, besonders im Kindes- und Jugendalter, tritt eine anikterische Hepatitis auf. Sie wird so bezeichnet, weil das auffälligste äußere Kennzeichen, der Ikterus, fehlt. Das hat Vor- und Nachteile. Vorzüge, da bereits hierdurch kenntlich gemacht wird, wie leicht die Krankheit verläuft. Nachteile, da die Krankheit überhaupt übersehen werden kann. Im letzteren Fall unterbleiben natürlich auch Schutzmaßnahmen und Behandlung für den Patienten sowie eine Isolierung. Gehäufte Infektionen in der Umgebung werden die Folge sein.

Gefährlicher ist die mit schwerem und hartnäckigem Ikterus verlaufende Form. Die Bilirubinwerte im Serum sind stark erhöht. Es ist ein Juckreiz der Haut vorhanden und die Tendenz zur Rückbildung der Gelbfärbung ist gering. Wenn diese Form im Gefolge einer Gruppenerkrankung mit gleichartigem Verlauf auftritt, fällt die Deutung leichter als wenn es sich um einen Einzelfall handelt. Dann ist die Abgrenzung von einem mechanischen Ikterus u. U. sehr schwer. Die Herbeiführung einer Entscheidung ist aber durchaus wichtig, da im Falle eines Verschlusses der Gallenwege, etwa durch Steine, eine Operation zur Beseitigung des Abflußhindernisses notwendig wäre. Kann eine Gallengangsverlegung ausgeschlossen werden, muß man abwarten. Auch hier kommt es zur völligen Ausheilung, nur später als beim normalen Ablauf.
In seltenen Fällen kommt es zum sogenannten bösartigen überstürzten Verlauf. Die Leberschädigung ist bereits nach wenigen Tagen so schwer, daß das Organ funktionell versagt und ein Koma hepatikum eintritt (vgl. Kap. 4, Leberversagen). Zusätzlich finden sich oft Störungen des Zentralnervensystems wie Krämpfe und Verwirrtheitszustände.
Von Bedeutung ist weiterhin die verzögerte Form der Virushepatitis. Das klinische Bild und die Befunde ergeben zunächst keine Auffälligkeit, später zeigt sich aber, daß die Rückbildung nicht so rasch wie erwartet erfolgt. Entweder bleibt die Gelbsucht länger bestehen oder die übrigen Veränderungen, insbesondere das mikroskopische Bild der Leber, deuten auf eine nur langsam fortschreitende Besserung. Man muß sich in diesem Fall darauf einrichten, daß die Erkrankung nicht innerhalb von zwei Monaten abläuft, sondern vielleicht ein halbes Jahr oder noch länger dauert. Eine restlose Wiederherstellung ist jedenfalls auch bei dieser Form zu erwarten. Nach großen Sammelstatistiken soll eine Heilungsverzögerung bei jedem zehnten Erkrankten eintreten.
Eine besondere Form der Komplikationen ist die rezidivierende, d. h. in Rückfällen verlaufende Virushepatitis. Noch vor der Abheilung oder kurz danach erfolgt ein erneuter Krankheitsschub. Zumeist ist dafür eine zusätzliche Erkrankung, nicht selten aber auch ein Fehlverhalten des Betroffenen in Form eines körperlichen Streß oder Alkoholverzehrs verantwortlich zu machen. Diese Fälle bedürfen einer besonderen Betreuung. Die erneut ausbrechende Krankheit ist genau zu kontrollieren und bis zur endgültigen Heilung zu überwachen. Andererseits besteht die

Gefahr einer ungenügenden Ausheilung bzw. eines Überganges in die chronische Form der Hepatitis.

Im allgemeinen wird eine Entzündung als chronisch bezeichnet, wenn sie in ein langwieriges Stadium übergeht. Für die Leberentzündungen ist man übereingekommen, eine Krankheitsdauer von 12 Monaten an als chronische Hepatitis zu bezeichnen.

Zur Definition dieser Krankheit muß noch eine Vorbemerkung gegeben werden. Nicht selten hört man Begriffe wie „chronisch leberkrank" oder „chronisches Leberleiden". Diese Bezeichnungen sind ungenau und nicht identisch mit einem chronischen Entzündungsprozeß. Vielmehr können auch andere Leberstörungen darunter verstanden werden, etwa eine Verfettung oder bestimmte Stoffwechselstörungen. Daher muß in jedem Fall eine eingehende Untersuchung angestrebt werden, die zur genauen Erkennung führt und damit eine verläßliche Grundlage für die Behandlung eröffnet.

Chronische Leberentzündungen können Folge akuter Entzündungen sein, aber auch andere Ursachen haben. Es kommt vor, daß Beschwerden so uncharakteristisch hinsichtlich der Ursache sind, daß sie lange Zeit unerkannt bleiben. Dann wird die Leberentzündung erst im chronischen Stadium entdeckt.

Die klinischen Befunde sowie die Laboruntersuchungen ergeben nicht immer ein einheitliches Bild. Daher hat man als Bezugssystem für die Kennzeichnung der chronischen Hepatitis die feingeweblichen Veränderungen herangezogen. Das bedeutet in diagnostischer Hinsicht für den Patienten, daß bei einem entsprechenden Verdacht eine Leberbiopsie durchgeführt wird. Nur diese Untersuchung führt zu einer sicheren Diagnose und begründet die weiteren therapeutischen Schritte sowie die Verlaufsbeobachtung.

Die chronische Hepatitis wird in zwei Hauptgruppen untergliedert: die chronisch-andauernde Form (chronisch-persistierende Hepatitis) und die chronisch-fortschreitende Form (chronisch-progrediente Hepatitis).

Beide Formen der chronischen Hepatitis können wie bereits erwähnt aus einer akuten Virushepatitis hervorgehen. Das gilt besonders für die B-Hepatitis. Die chronisch-andauernde Entzündung kann weiterhin durch chronische Darmerkrankungen oder eine chronische Alkoholschädigung verursacht werden. Die chronisch-fortschreitende Form wird daneben durch toxisch-medikamentöse Schäden bzw. durch Stoffwechselstörungen hervorgerufen.

In den letzten Jahren sind durch eingehende Untersuchungen die Beziehungen zwischen der B-Hepatitis und der Chronizität der Leberentzündung näher aufgeklärt worden. Danach kommt es zu folgendem Verhalten. Die Infektion mit Hepatitisviren zieht eine Abwehrreaktion des menschlichen Körpers nach sich. Die Auseinandersetzung zwischen den Erregern und den Abwehrkräften bestimmt den weiteren Krankheitsverlauf. Es sind vier unterschiedliche Verlaufsformen möglich: 1. Ist die Abwehr kräftig entwickelt, so gelingt die Überwindung der Infektion und die Entfernung der Viren aus dem Körper ohne weiteres. Klinisch handelt es sich um die einfache unkomplizierte Virushepatitis; eine chronische Hepatitis entwickelt sich nicht. 2. Die Abwehrkräfte reichen zu einer Überwindung der Infektion nicht aus. Es gehen ständig von Viren befallene Leberzellen zu Grunde, aber eine endgültige Ausrottung kann der Körper nicht herbeiführen. Das Ergebnis ist eine chronisch-fortschreitende Entzündung mit Verlust von Lebergewebe. Dadurch besteht die Gefahr des Überganges in eine Schrumpfleber. 3. Eine weitere Möglichkeit ist gegeben, wenn sich in den Leberzellkernen der core-Bestandteil des Antigens anreichert. Das wurde bereits zu Beginn dieses Kapitels erwähnt. Die Leber selbst zeigt nur eine geringe entzündliche Reaktion entweder aus eigener Schwäche oder weil entzündungshemmende Medikamente gegeben werden. Dieser Typ ist selbst nicht schwer krank, stellt aber infolge ständiger Ausscheidung der infektiösen Körperchen in das Blut eine Infektionsquelle für die Umgebung dar. 4. Bei dieser Variante ist der Hüllenanteil des DANE-Partikels in der Leberzelle reichlich vorhanden. Das glatte zelleigene Netzwerk (vgl. Kap. 1) ist reaktiv vermehrt. Diese Veränderung kann man am entnommenen Lebergewebe mikroskopisch erkennen. Sie zeigt an, daß eine B-Hepatitis überstanden wurde, aber keine fortdauernde Krankheit vorliegt.

Wichtig ist der weitere Verlauf der chronischen Hepatitis. Nach Sicherung der Diagnose ist eine weitere Betreuung erforderlich. Die Heilungsaussichten für die andauernde Form sind gut. Es ist nicht mit Restschäden zu rechnen. Bei der fortschreitenden Form ist die Situation nicht so günstig. Auch hier sind z. T. völlige Wiederherstellungen beobachtet worden. Andererseits kann sich die Erkrankung jahrelang hinziehen und eine ständige Diät, Schonung und weitere therapeutische Maßnahmen erfordern. Alkohol ist unbedingt zu meiden. Unter ungünstigen Umständen ist ein weiteres Fortschreiten zur Schrumpfleber nicht aufzuhalten. Dann kommt es darauf an, durch ein zielstrebiges ärztliches Regime den Schaden so gering wie möglich zu halten und Komplikationen zu vermeiden oder aufzuschieben.

Sonstige Leberentzündungen

Die von anderen Organen, insbesondere dem Gallenwegssystem in die Leber eingeschleppten Entzündungen werden im Kap. 5 besprochen.

Stoffwechselstörungen

Eine der häufigsten Stoffwechselstörungen äußert sich als Leberverfettung. Sie ist neben den Entzündungen der häufigste von der Norm abweichende Befund. Er hat in den letzten Jahrzehnten ständig zugenommen. Das ist sicher nicht nur eine scheinbare Häufigkeitsverschiebung auf Grund einer verbesserten Diagnostik, sondern eine echte Zunahme. Bei der Analyse einer großen Anzahl von Leberbiopsien findet sich in fast Zweidritteln ein vermehrtes Fettvorkommen. Die Rolle der Leber im Fettstoffwechsel bringt es mit sich, daß sie schon normalerweise einen kleinen Fettanteil enthält. Er beträgt etwa 3 bis 5 % des Gesamtgewichtes. Von einer Leberverfettung wird erst gesprochen, wenn 25 bis 50 % der Zellen Fett enthalten. Die Fettleber im exakten wissenschaftlichen Sinne setzt eine Beteiligung von über 50 % der Zellen voraus. Sie wird dann nochmals in drei Kategorien unterteilt, weil dadurch eine bessere Aussage über den künftigen Verlauf möglich wird.
Die häufigsten Ursachen für eine Fettablagerung in der Leber sind Überernährung und Alkoholverzehr. Bei Herz-Kreislauferkrankungen kann ein Sauerstoffmangel infolge ungenügender Blutzirkulation zur Verfettung führen. Als Begleiterscheinung ist sie auch bei der Zuckerkrankheit vorhanden. Seltener treten Hormonstörungen oder Vergiftungen ursächlich in Erscheinung. In der Praxis muß man auf eine Kombination mehrerer der aufgeführten Faktoren achten, da in diesem Falle bereits jeweils unterschwellige Einwirkungen folgenreich werden können.
Die Beschwerden sind durchaus uncharakteristisch. Gewöhnlich wird bei einer Durchuntersuchung eine Lebervergrößerung festgestellt, in anderen Fällen finden sich bei einer Blutuntersuchung veränderte Funktionsproben. Der sicherste Weg zur Diagnose ist die Leberpunktion mit anschließender mikroskopischer Unter-

suchung. Dabei sind nicht nur Form und Ausmaß, sondern auch noch zusätzliche Befunde feststellbar, die einen Hinweis auf die Ursache geben können.
Das Schicksal der Fettleber ist unterschiedlich. Wird sie rechtzeitig erkannt, so muß unbedingt eine Behandlung erfolgen. Die Aussichten auf eine Rückbildung sind im Falle der Überernährung und des Alkoholkonsums vielfach überraschend gut. Besteht die Fetteinlagerung dagegen sehr lange fort oder nimmt sogar noch zu, so gehen die Leberzellen nach und nach zu Grunde. Sie werden durch Bindegewebe ersetzt. Außerdem kommt es zu einer reaktiven Entzündung. Damit wird die Entwicklung einer Schrumpfleber eingeleitet.

Schrumpfleber (Zirrhose)

Diese Erkrankung wird auch als Zirrhose bezeichnet. Der Name entstammt der griechischen Sprache und bedeutet „gelb" in Berücksichtigung der manchmal, aber keineswegs immer vorhandenen Farbveränderung der Leber.
Die Entstehung der Schrumpfleber ist ein langwieriger Prozeß; in der Regel dauert er mehrere Jahre. Je nach Ursache, Zeitpunkt der Erkennung und der therapeutischen Beeinflußbarkeit kann man ihn aufhalten oder verlangsamen. Nur in ungünstigen Fällen zeigt er ein ständiges Fortschreiten. In der Leber kommt es unter der Einwirkung von Schädlichkeiten zum Absterben von Zellen. Sie werden durch Bindegewebe ersetzt. Die normale Struktur des

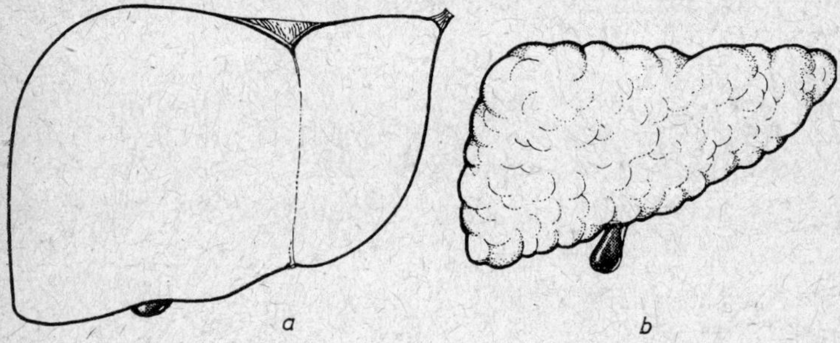

Abb. 8
a Normale Leber
b Schrumpfleber

Organs wird dadurch zerstört, es schrumpft und die Oberflächen nehmen eine höckerige Gestalt an. Außerdem ist die verkleinerte Leber verhärtet. Diese innere Umgestaltung ist die Grundveränderung bei allen Zirrhoseformen. Sie kann aber ganz unterschiedliche Schweregrade aufweisen. Daraus erklärt sich, daß in manchen Fällen früh, in anderen überhaupt nicht Komplikationen auftreten, daß die Behandlungsergebnisse unterschiedlich sind und daß auch der weitere Verlauf keine Einheitlichkeit aufweist.

Man unterscheidet drei Zirrhosetypen: die gleichmäßig-gehökkerte (septale), die unregelmäßig-knotige (postdystrophische) und die biliäre Form. Diese Feststellungen werden bei einer

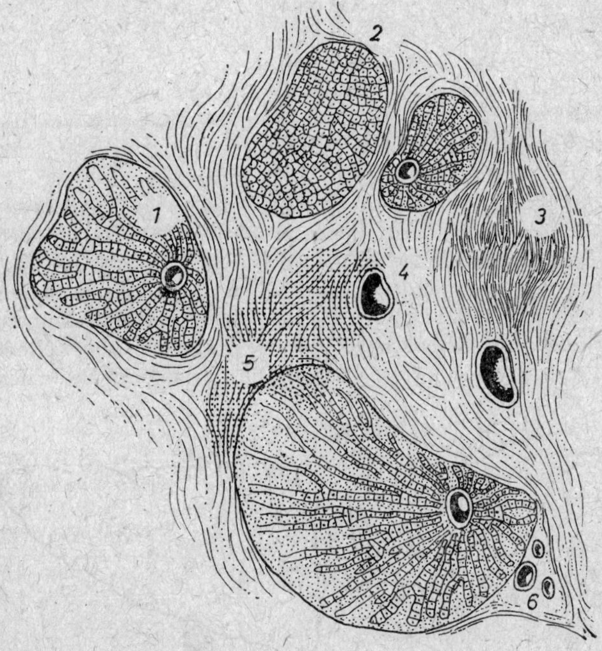

Abb. 9 Schrumpfleber (mikroskopisch)

1 deformiertes Läppchen
2 zerstörtes Läppchen
3 vermehrtes Bindegewebe
4 fehlerhafte Blutgefäße
5 Entzündungszellen
6 normales Bindegewebsdreieck

Laparoskopie getroffen. Sie liefern eine Aussage über die Entstehungsweise der Zirrhose und bis zu einem gewissen Grade auch über die Ursache. Ergänzt werden die makroskopischen Ergebnisse durch die mikroskopische Auswertung. Beim Verdacht auf eine Zirrhose soll die Gewebsentnahme aus der Leber immer unter Sicht durchgeführt werden.

Es gibt Leberzirrhosen, für die man eine Ursache namhaft machen kann und andere, bei denen dafür kein Hinweis gegeben ist. Zu den häufigsten Ursachen rechnen: Alkoholverbrauch, chronische Hepatitis, Gallenwegsentzündungen sowie Stoffwechselstörungen, die mit Substanzeinlagerungen in das Organ verbunden sind.

Die Alkoholbeeinflussung der Leber wurde bereits im vorigen Kapitel geschildert. Es ist eine gesicherte Tatsache, daß bei entsprechender Dosierung und Dauer eine Abfolge von Veränderungen eintritt. Sie umfassen Verfettung, Nekrose, Entzündung, Bindegewebsentstehung, Umbau des Organs, Schrumpfleber. Von entscheidender Bedeutung ist die Tatsache, daß eine Unterbrechung dieser Entwicklung möglich ist, solange noch keine vollständige Zirrhose vorliegt. Bei gänzlichem Absetzen des Alkohols kann in Verbindung mit einer geeigneten Behandlung und vor allem mit einer planmäßigen eiweißreichen und hinsichtlich des Fettgehaltes genau vorgeschriebenen Ernährung eine Rückbildung der krankhaften Veränderungen erreicht werden.

Die chronische Hepatitis kann, besonders wenn sie in der fortschreitenden Form vorliegt, zur Zirrhose führen. Die Zunahme der Virushepatitiden wird z. T. für das häufigere Auftreten von Zirrhosen verantwortlich gemacht. In diesem Zusammenhang spielen sicher auch klinisch leichte und unerkannte Fälle eine Rolle, bei denen sich infolge Fehlens einer Behandlung später Komplikationen eingestellt haben.

Auf die Rolle der Gallenwegserkrankungen und ihren schädigenden Einfluß auf die Leber wird im Kap. 5 hingewiesen. Für die Zirrhoseentwicklung sind immer nur die chronischen Formen von Bedeutung. Über viele Jahre andauernde oder in Schüben verlaufende Stauungen und Entzündungen sind die Hauptgefahr. Fast immer besteht ein Ikterus, der auch die Leber dunkelgrün färbt. Die Erkrankung wird als sekundäre biliäre Zirrhose bezeichnet. Sekundär bedeutet in diesem Zusammenhang „Zweit"-krankheit, da sie ja Folge der ursprünglichen Gallenerkrankung ist. Die Behandlung muß darauf gerichtet sein, das Grundleiden zu beseitigen. Liegen Gallensteine vor, so sind sie unverzüglich

zu entfernen. Andere Abflußhindernisse sind ebenfalls auszuschalten. Ist dieses nicht möglich, so können Kurzschlußverbindungen zwischen den zumeist betroffenen Gallengängen und dem Zwölffingerdarm angelegt werden. Die Gewährleistung eines ungestörten Abflusses verbessert die Aussichten auf einen komplikationsarmen weiteren Verlauf entscheidend.
Im Gegensatz zu den sekundären gibt es auch primäre biliäre Zirrhosen. Diese Form beruht auf einer Erkrankung der innerhalb der Leber gelegenen kleinen Gallengänge. Der Verlauf wird durch 4 Stadien gekennzeichnet: Entzündung – Wucherung der Gallengänge – Bindegewebsneubildung – Leberumbau. Frauen zwischen 45 und 60 Jahren werden bevorzugt betroffen. Die Krankheit beginnt mit hartnäckigem Juckreiz; Gelbsucht und rheumatische Beschwerden schließen sich an. Bei Laboruntersuchungen fallen einige Enzymnachweise und vor allem sogenannte Antikörpertests pathologisch aus; sie zeigen an, daß es sich um eine immunologische Erkrankung handelt. Über die eigentliche Ursache herrscht noch Unklarheit. Die Verlaufsaussichten sind unterschiedlich. In der Regel dauert die primäre biliäre Zirrhose mehrere Jahre.
Unter den Stoffwechselstörungen werden diejenigen mit Beteiligung des Kupfers und Eisens erwähnt. Eine Zirrhose auf der Grundlage einer Kupferspeicherung wird nach ihrem Entdecker Wilsonsche Zirrhose genannt. Sie betrifft überwiegend Kinder und Jugendliche. Das krankhaft angereicherte Kupfer ist außerdem im Nervensystem und Auge abgelagert. Oft fällt die Vergrößerung der Leber zunächst als einziges Symptom auf. Gezielte Untersuchungen lassen dann einen erniedrigten Kupferspiegel im Serum und eine Erhöhung im Urin erkennen. Mikroskopisch ist das Lebergewebe verfettet und bindegewebsreich; mit einer speziellen Methode kann auch der Kupfergehalt ermittelt werden. Bei rechtzeitiger Erkennung sind die Heilungsaussichten gut. Es werden Medikamente gegeben, die das Kupfer binden und seine Ausscheidung begünstigen. Die Erkrankung ist relativ selten. – Auch durch Störungen des Eisenstoffwechsels kann eine Leberzirrhose hervorgerufen werden. Ein Defekt im Regulationsmechanismus der Eisenaufnahme bewirkt, daß im Darm eine Übermenge resorbiert wird. Anstelle der normalen 4 bis 5 g sind im Organismus dann die fünffache Menge vorhanden. Der Hauptablagerplatz ist die Leber. Allgemeine Abgeschlagenheit, Schmerzen im rechten Oberbauch sowie eine allgemeine bräunliche Hautverfärbung sind Kennzeichen der Er-

krankung. Laboruntersuchungen sowie Leberbiopsie helfen bei der Sicherung der Diagnose. Am wirkungsvollsten in der Therapie sind häufige Aderlässe, durch die dem Körper mit dem Blut ein hoher Eisenanteil entzogen wird.
Die Krankheitszeichen bei der Leberzirrhose sind je nach Typ und Schweregrad unterschiedlich. Im Vordergrund stehen zwei Veränderungen: die reduzierte Funktion der Leber und Störungen des Blutkreislaufes. Die Funktionseinbuße durch den zunehmenden Verlust an Leberzellen führt zu Verdauungsstörungen, allgemeiner Leistungsminderung und Veränderungen auf hormonalem Gebiet. Letztere bewirken beim männlichen Patienten eine Schwellung der Brustdrüsen (Gynäkomastie) sowie eine Verkleinerung der Hoden. Weiterhin wird die Behaarung, namentlich in der Schamregion, spärlicher und die Sexualfunktionen lassen nach. Die Haut nimmt einen fahlen Farbton an; es kann auch ein vorübergehender Ikterus auftreten. An Hand- und Fußflächen finden sich gelegentlich rote Flecken. Schwerwiegender sind die Störungen des Kreislaufes. Sie beruhen auf einer Drosselung des anflutenden Pfortaderblutes, welches die durch den zirrhotischen Umbau verlegten Sinusoide nicht mehr passieren kann. So staut sich das Blut auf und wird über andere Abflußwege vor Eintritt in die Leber umgeleitet. Es bilden sich Umgehungskreisläufe (Kollateralkreisläufe) aus. Das führt zu einer Druckerhöhung in den Blutgefäßen der Milz, wodurch sich dieses Organ vergrößert. Die Hauptvenen um den Nabel treten stark hervor. Die Mitbeteiligung der Eingeweidegefäße haben die Bildung von Ascites zur Folge (Bauchwasseransammlung). Gefährlich sind die Veränderungen an den Speiseröhrenvenen. Sie erweitern sich unter dem Einfluß der vermehrten Blutmenge (Varizenbildung) und können platzen. Die Folgen sind Blutungen, Bluterbrechen und u. U. auch ein Ansaugen von Blut in die Luftwege. Treten derartige Komplikationen auf, so sind die ärztlichen Bemühungen dringend auf eine sofortige Blutstillung gerichtet. In Spezialkliniken stehen optische Instrumente zur Verfügung, mit denen die Blutungsquelle ausfindig gemacht werden kann. Oft gelingt die Blutstillung durch die Anlage einer eingeführten Sonde, welche einige Stunden in der Speiseröhre belassen wird. Weiterhin wird angestrebt, die Blutungsgefahr durch Einspritzen einer zur Vernarbung führenden Flüssigkeit in oder um die Blutgefäße zu bannen oder zu vermindern. Auch operative Unterbindungen kommen zur Anwendung. – Zur dauerhaften Beherrschung des Pfortaderhochdruckes werden

komplizierte Eingriffe durchgeführt. Man verbindet die Vena portae mit einer Nierenvene, so daß das Blut über diesen Weg abfließen kann. Die Einleitung des Pfortaderblutes direkt in das allgemeine venöse System hat allerdings auch Gefahren. Es fehlt die entgiftende Funktion der Leber, so daß es zur Ausbildung einer toxischen Hirnschädigung kommen kann. Für diese Nebenwirkung ist besonders Ammoniak verantwortlich. Ammoniak entsteht im Dickdarm unter der Einwirkung von Bakterien aus dem Eiweißanteil der Nahrung; normalerweise wird es in der Leber zerlegt. In Verbindung mit anderen Maßnahmen bringt das jetzige Operationsverfahren gegenüber früheren verbesserte Verlaufsaussichten.

Die Leberzirrhose ist eine ernste Erkrankung. Das Statistische Jahrbuch der DDR 1978 weist aus, daß 1976 insgesamt 2191 Personen an einer Zirrhose gestorben sind. Beim Vergleich mit sämtlichen Todesfällen an bösartigen Geschwülsten (37 165) errechnet sich ein Verhältnis von 1 : 15. Demnach kommt auf 15 an einem Krebs gleich welcher Lokalisation Verstorbenen, 1 Verstorbener an Leberzirrhose. 13 % der letzteren sind jünger als 50 Jahre, über ein Viertel jünger als 60 Jahre. Aus diesen Angaben ist ersichtlich, daß alles unternommen werden muß, um die Entstehung einer Leberzirrhose zu verhindern. Das gilt insbesondere für die Vermeidung des regelmäßigen hohen Alkoholkonsums. Medizinische Statistiken liefern andererseits den Beweis, daß die Verlaufsaussichten für den Zirrhosekranken weitaus besser geworden sind als es noch vor einigen Jahrzehnten der Fall war. Wenn die zur Zirrhose führenden Faktoren ausgeschaltet, eine optimale Ernährung eingehalten und körperliche Überlastungen vermieden werden, so sind günstige Voraussetzungen dafür geschaffen.

Leberversagen

Die schwerste Form der Leberschädigung ist die Dystrophie. Man versteht darunter das innerhalb kurzer Zeit erfolgende Absterben einer großen Anzahl von Leberzellen. Die Ursachen dafür sind unterschiedlich. Vergiftungen, z. B. durch Pilzgifte oder gewerbliche Chemikalien wie Tetrachlorkohlenstoff, können ebenso dazu führen wie die sogenannte bösartige Form der Virushepatitis. Ein lange Zeit bestehender völliger Verschluß der Gallenwege kann ebenso die Ursache sein wie das End-

stadium einer Zirrhose oder eines Geschwulstleidens. Das Versagen der Leberfunktion hat sehr rasch eine innere Vergiftung zur Folge. Es tritt ein Koma hepatikum auf. Vorboten sind u. a. Abweichungen im psychischen Verhalten, Krampfzustände, die bald von Verwirrtheit und schließlich von Bewußtlosigkeit gefolgt sind. Die therapeutischen Maßnahmen sind auf die Entfernung der schädigenden Ursache und die möglichst rasche Entgiftung gerichtet. Spülbehandlung des Darmes sowie medikamentöse Infusionen in die Blutbahn werden durchgeführt. Neuerdings wird angestrebt, das toxische Ammoniak im Darm chemisch abzubauen. Auch die Entgiftung des vorübergehend aus dem Körper des Erkrankten herausgeleiteten Blutes in einer isolierten Tierleber (Pavian, Schwein) oder in einer Apparatur ist wiederholt vorgenommen worden.
Allerdings darf man nicht verkennen, daß das zumeist schwere Grundleiden die dauerhaften Heilungsaussichten stark einschränkt.

Geschwülste

Wie in jedem Organ treten auch in der Leber Geschwülste auf. Es kann sich um gut- oder bösartige Wucherungen handeln. Entweder nehmen sie ihren Ausgang von den eigentlichen Leberzellen (Hepatozyten) oder vom Binde- und Stützgewebe. Zu den letzteren gehören kleine aus Blutgefäßen aufgebaute Geschwülste. Sie sind relativ häufig, rufen keine Beschwerden hervor, veröden oft von selbst und bleiben bei vielen Menschen überhaupt unentdeckt. Gutartige Geschwülste der Leberzellen heißen Adenome. Es handelt sich um kirschkern- bis kirschgroße Knoten mit sehr langsamem Wachstum. Seit einigen Jahren weiß man, daß sich solche Neubildungen bei langfristigem Einnehmen von Kontrazeptiva, d. h. der sogenannten Pille, entwickeln. Sie verursachen nicht selten Oberbauchbeschwerden mit Schmerzen. Nach Absetzen der Präparate bilden sich die Knoten zurück. Bei weiterer Verwendung können Komplikationen auftreten, etwa Blutungen in der Bauchhöhle. Im Verhältnis zu der Gesamtzahl der Frauen, die Ovulationshemmer einnehmen, ist die genannte Nebenwirkung selten. Man muß sie jedoch kennen, um im Einzelfall die richtigen Maßnahmen treffen zu können.
Bösartige Geschwülste der Leber sind im Vergleich zu anderen Organen selten. Sie entstehen zumeist auf der Grundlage einer

Leberzirrhose. Dabei kommt es vor, daß sich gleichzeitig an zahlreichen Stellen des Organs Geschwulstnester entwickeln. Das macht eine wirkungsvolle Therapie, etwa eine chirurgische Entfernung des Tumors, so gut wie unmöglich. Im Gegensatz zu organeigenen Geschwülsten finden sich häufig Absiedlungen anderer Krebsarten in der Leber. Sie werden als Metastasen oder Tochtergeschwülste bezeichnet. Besonders bei Magen- und Darmkarzinomen, aber auch bei solchen der Lunge (Bronchialkarzinom) treten sie oft in Erscheinung. Das Vorhandensein von Metastasen ist in der Regel eine Begleiterscheinung des vorgerückten Geschwulstwachstums. Heilungsaussichten sind in dieser Phase nicht zu erwarten. Es gelingt aber nicht selten, mit bestimmten Medikamenten das Geschwulstwachstum stark zu verzögern.

5. Die mitgeschädigte Leber

Sowohl die anatomische Lage als auch die vielfältigen funktionellen Beziehungen zu anderen Organen und zum allgemeinen Stoffwechsel haben zur Folge, daß die Leber bei einer Reihe von Erkrankungen in Mitleidenschaft gezogen wird. Bei bestimmten Krankheiten ist das die Regel, bei anderen trifft es nur für einen Teil zu. Die Besprechung dieses Themas bringt gewisse Überschneidungen mit sich, da eine formale Einteilung schwierig ist. So wurden im bisherigen Text bereits mehrfach Mitschädigungen der Leber erwähnt, so vor allem bei den Fettstoffwechselstörungen und Zirrhosen. Dort stand die Leber im Mittelpunkt des Krankheitsgeschehens. Im Folgenden sollen besonders diejenigen Krankheiten berücksichtigt werden, bei denen der Leberschaden einen zusätzlichen Befund darstellt. Natürlich mußte auch hier eine Auswahl getroffen werden.

Leberveränderungen bei Erkrankungen des Herzens und Kreislaufes

Bekanntlich sind im menschlichen Körper zwei Blutkreisläufe und das Pfortadersystem zu einem einheitlichen System zusammengefügt. Im Zentrum steht das Herz. Als Motor sorgt es für die Bewegung des Blutes, welches unter Druck in die Arterien ausgeworfen wird. Vom linken Herzventrikel entspringt die Aorta; sie ist das Hauptgefäß des großen bzw. Körperkreislaufes, durch den das sauerstoffreiche Blut zu den Organen und Geweben fließt. Über immer kleinere Arterien gelangt es in die Kapillaren. Hier erfolgt die Sauerstoffabgabe und die Aufnahme von Kohlendioxid und Stoffwechselendprodukten. Das Blut sammelt sich in kleinen Venen, die in größere einmünden. Aus der unteren Körperhälfte wird das Blut schließlich in der unteren Hohlvene, aus der oberen Region (Kopf, Hals, Arme) in der oberen Hohlvene aufgenommen und dem Herzen zugeleitet. Das arterielle Blut, welches in die Bauchorgane gelangt und den

Magen, den gesamten Dünndarm, große Teile des Dickdarmes sowie die großen Drüsen und die Milz versorgt, fließt aus den Kapillaren in die Pfortader ab. Sie bringt das nährsubstanzreiche Blut zur Leber. Nachdem das Organ durchströmt ist, gelangt das Blut in die untere Hohlvene und von dort weiter zum Herzen. Das gesamte venöse Blut wird vom rechten Herzvorhof aufgenommen, zur rechten Kammer weitergeleitet und von dort in die Lunge gepumpt. Es befindet sich nun im kleinen Kreislauf. Nach Austausch mit der Atemluft (Kohlendioxidabgabe und Sauerstoffaufnahme) fließt das Blut zum linken Herzen zurück und steht zu erneuter Funktion im Körperkreislauf zur Verfügung. – Aus dieser knappen Darstellung ist ersichtlich, daß die Leber sowohl durch Störungen im großen Kreislauf als auch im Pfortadersystem in Mitleidenschaft gezogen werden kann. Was den großen Kreislauf anlangt, so sind vor allem Erkrankungen des Herzens als Ursache zu nennen. Eine Leistungsminderung der rechten Herzkammer führt zur sogenannten Rückstauung des Blutes in den vorgeschalteten Organen, wozu ja in erster Linie die Leber rechnet. Deren Sinusoide erweitern sich auf Kosten der sie begrenzenden Leberzellen. Diese werden zusammengedrückt und gehen teilweise zu Grunde. Die benachbarten Zellen werden infolge der Verlangsamung des Blutstromes schlechter mit Sauerstoff versorgt und verfetten. Bei schwerer Schädigung kann sogar ein milder Ikterus auftreten. Die Leber ist vergrößert. Sie ragt unter dem Rippenbogen hervor und kann getastet werden. Ihre Kapsel ist gespannt; das verursacht Druckgefühl und ziehenden Schmerz. Betrachtet man die Leber in diesem Zustand, so zeigt sich eine blattartige Felderung; man spricht von einer Herbstlaubleber. – Außer primären Erkrankungen des rechten Herzens können auch Befunde an der Lunge wie chronische Lungenblähung (Emphysem), Staubeinlagerungen (Silikose) oder chronische Entzündungen (Pneumonien, Tuberkulose) zum allmählichen Versagen der rechten Herzkammer führen. Ausgeprägte Schäden am linken Herzen wie große Infarktnarben oder Klappenfehler (Mitralstenose) haben gleiche Folgen. Auch dabei kommt es zur Leberstauung.

Wie eine chronische Blutstauung wirkt sich auch eine verhältnismäßig seltene Venenerkrankung auf die Leber aus. Über ihre Ursache ist wenig bekannt. In den Gefäßen entwickelt sich eine Entzündung, die die Lichtung verlegt und den Blutstrom drosselt. Betroffen sind vor allem die großen Venenäste. Nach den Ärzten, die sie zuerst beschrieben haben, wird sie Budd-Chiari'-

sche Erkrankung genannt. Im fortgeschrittenen Stadium können die Leberveränderungen denen bei einer Zirrhose ähnlich sein. Insbesondere kann es zum Hochdruck im Pfortadersystem kommen.

Wenn Blutgerinnsel (Thrombosen) in Pfortaderäste eingeschwemmt werden, so bleiben sie in den kleinen Gefäßen stecken. Es kommt in dem betreffenden Versorgungsgebiet zu einer Fehldurchblutung, die man als Infarkt bezeichnet. Das Lebergewebe erleidet dadurch keinen Schaden. Das ist eine Ausnahmesituation, da Infarkte in anderen Organen sehr gefährlich werden können. Zum Teil liegt die Erklärung in der doppelten Gefäßversorgung der Leber durch Arterie und Pfortader. Die spezielle Analyse dieser Zirkulationsstörung erweist sich als sehr kompliziert.

Leberveränderungen bei Erkrankungen der Gallenblase und -wege

Wie im Kapitel 1 ausgeführt, stehen Leber und Gallenwegssystem in einer engen anatomischen Beziehung zueinander. Auch die Funktionen sind vielfältig miteinander verflochten. Die Gallenflüssigkeit wird in der Leber produziert und über die Gallengänge abgeleitet. Es kann daher nicht überraschen, daß die Leber sehr häufig bei Erkrankungen des nachgeschalteten Systems in Mitleidenschaft gezogen wird. Praktisch alle länger andauernden oder schweren Gallenerkrankungen wirken sich auf die Leber aus. Zu den wichtigsten gehören Mißbildungen, Entzündungen, das Steinleiden sowie Geschwülste. Auf die Mißbildungen wurde schon hingewiesen (Kap. 4). Während das Fehlen der Gallenblase folgenlos bleibt und nicht einmal bemerkt zu werden braucht, gilt das Fehlen der Gallengänge als lebenswidrig. Das Problem betrifft naturgemäß immer Neugeborene. Die Gallenflüssigkeit staut sich in der Leber auf und bewirkt einen schweren Ikterus. Es bildet sich eine Zirrhose, der die Säuglinge innerhalb weniger Monate erliegen. – Entzündungen der Gallenblase und -wege sind häufig, insbesondere wenn gleichzeitig Steine vorhanden sind. Sowohl vom Darm als auch – seltener – vom Blut her dringen Bakterien vor. Schmerzen, Fieber, gelegentlich Schüttelfrost und Appetitlosigkeit sind die häufigsten Symptome einer Cholecystitis bzw. Cholangitis. Es kann auch zur Entwicklung von Eiter kommen. Die Entzündung breitet sich auf dem Weg der Gallenwege bis zur Leber aus und schädigt dieses Organ. In schweren Fällen entstehen in der Leber Abszesse. Aber auch wenn diese Komplikationen ausbleiben, zeigen Laboruntersuchungen wie mikroskopische Befunde, daß einzelne Leberzellen zu Grunde gehen. Oft ist auch eine Leberverfettung vorhanden, und es bildet sich eine reaktive Hepatitis heraus. – Gallensteine können entweder in der Blase oder in den Gängen liegen. Im letzteren Falle verschließen sie diese teilweise oder vollständig, so daß der Gallefluß behindert oder unterbrochen ist. Auch davon wird die Leber betroffen. Die der Kolik zumeist folgende Gelbsucht zeigt die Schädigung an. Wird das Abflußhindernis nicht beseitigt, so ergreift die Entzündung immer größere Anteile; es entsteht die sekundäre biläre Zirrhose. – Gallenblasengeschwülste treten überwiegend in bösartiger Form auf. Es ist statistisch gesichert, daß sich diese Krebse in einem hohen Prozentsatz auf der Grundlage chronisch-verschwielter Steingallenblasen entwickeln. Gefährlich sind in dieser Hinsicht also weniger die akuten Entzündungen sowie die Kolikanfälle als vielmehr die sich über Jahre hinziehenden und in Schüben verlaufenden Prozesse. Die Geschwülste greifen oft direkt von der Gallenblase auf die Leber über und zerstören deren Gewebe. Die operativen Möglichkeiten zur Entfernung eines Gallenblasenkarzinoms sind schlecht, da sie zu spät entdeckt werden. Geschwülste der Gallenwege oder der Papille an der Einmündung des Hauptgallenganges in den Zwölffingerdarm sind selten.

Insgesamt kann festgestellt werden, daß die ärztliche Betreuung dem engen Zusammenhang zwischen Leber und Gallensystem Rechnung trägt und die Leber in die Diagnostik und – wenn notwendig – in die Therapie einbezieht.

Leberveränderungen bei Erkrankungen des Magens und Darmes

Die häufigsten Erkrankungen des Verdauungskanals stellen Entzündungen, Geschwüre und Geschwülste dar. Für die Mitbeteiligung der Leber sind alle drei Gruppen von Bedeutung.

Zur Klärung eines Zusammenhanges zwischen Magenentzündungen und -geschwüren und krankhaften Veränderungen der Leber sind zahlreiche wissenschaftliche Untersuchungen durchgeführt worden. Dabei hat sich herausgestellt, daß es keineswegs regelmäßig zu einer Mitbeteiligung kommt. Einige Untersucher äußerten sogar die Auffassung, die Leber sei unter bestimmten Umständen das ersterkrankte Organ und verursache Störungen am Magen. Nach diesen Befunden soll sie besonders an der Entstehung von Geschwüren beteiligt sein. Bei chronischen Magengeschwüren kann es dagegen zu einer reaktiven Entzündung der Leber kommen. Sie ist keine eigentliche Krankheit, kann die Leber aber gegenüber anderen schädigenden Einflüssen empfindlicher machen. Ähnliches trifft für Entzündungen des Dünn- und Dickdarmes zu. Auf einige derartige Zustände wurde bereits im Kap. 3 verwiesen. Langwierige Entzündungen des Dickdarmes treten in Form der Coltitis ulcerosa auf. Sie werden teilweise schon im jugendlichen und mittleren Lebensalter beobachtet und umfassen ein breites Krankheitsspektrum. Manche Fälle äußern sich in geringfügigen Schmerzen, Durchfällen oder Verstopfung bzw. gelegentlichem Blutabgang mit dem Stuhl. Andere gehen mit ausgedehntem geschwürigem Zerfall der Darmschleimhaut, schweren Blutungen und einer Entzündung des Bauchraumes (Peritonitis) einher. Ständig werden toxische Produkte und Bakterien mit dem Pfortaderblut in die Leber eingeschwemmt. Dort bildet sich fast immer eine Begleitentzündung und eine Verfettung heraus. – Eine gefährliche Komplikation kann bei der verschleppten Appendizitis auftreten. Die Entzündung des Wurmfortsatzes ist die häufigste Darmentzündung überhaupt. In der Umgangssprache wird sie gewöhnlich (allerdings unzutreffend) als Blinddarmentzündung bezeichnet. Der Blinddarm ist vielmehr der erste Abschnitt des Dickdarmes; an seinem „blinden" Ende ist der etwa 7,5 cm lange bleistiftstarke Wurmfortsatz lokalisiert. Die Appendizitis kann in jedem Lebensalter auftreten; sie betrifft Säuglinge genauso wie Greise. Begünstigend wirken eingepreßte Kotsteine, die Einwanderung von Spulwürmern (Oxyuren) oder Bakterien. Oft wird die Entzündung im Rahmen eines generellen Infektes ausgelöst; vielfach bleibt die unmittelbare Ursache völlig unklar. Die Beschwerden beginnen gemäß der normalen Lage des Wurmfortsatzes im rechten Unterbauch mit einem umschriebenen Druckschmerz. Er verstärkt sich bei tiefem Eindrücken genauso wie bei dem anschließenden plötzlichen Loslassen. Der normale Stuhlgang bleibt aus. Die Körpertemperatur ist nur leicht erhöht (etwas über 37 °C); charakteristisch ist eine Zunahme der Differenz zwischen der unter der Achsel und im Mastdarm gemessenen Werte; sie überschreitet 1 °C. Im akuten Stadium ist die Wand des Wurmfortsatzes völlig von Entzündungszellen durchsetzt. Zu diesem

Zeitpunkt muß unbedingt eine operative Entfernung vorgenommen werden. Unterbleibt sie, wird die Wand der Appendix zerstört und der hochinfektiöse Darminhalt gelangt in die Bauchhöhle. Die Folge ist eine eitrige Bauchfellentzündung. Diese stellt immer eine lebensgefährdende Erkrankung dar. Als besondere Komplikation kann die Einschwemmung von Bakterien und Eiter in Pfortaderäste und eine abszedierende Entzündung der Leber hinzukommen.

Leberveränderungen bei infektiösen und sonstigen Allgemeinerkrankungen

Allgemeinerkrankungen breiten sich über den gesamten Körper aus. Im weitesten Sinne betrifft zwar jede Erkrankung den Menschen in seiner Gesamtheit und verändert in stärkerem oder geringerem Maße seine Reaktionen. Bei einer speziellen Betrachtung versteht man darunter aber die konkrete Verteilung von Krankheitsherden über die Organe und Gewebe. Derartige Allgemeinerkrankungen können durch Bakterien, seltener durch Pilzerreger und Parasiten oder durch eine besondere Abwehrlage des Körpers verursacht werden. Sie treten weiterhin im Rahmen sogenannter Systemerkrankungen auf. Bei allen genannten Möglichkeiten finden sich in der Leber – ebenso wie in anderen Organen – zahlreiche unregelmäßig verstreute Entzündungsherde. Sie sind selten größer als der Kopf einer Stecknadel und oft kleiner, also im Durchschnitt gerade mit bloßem Auge erkennbar. Man spricht von Granulomen (lat. Körnchen) bzw. einer granulomatösen Hepatitis. Die klinischen Erscheinungen sind uneinheitlich und oft gering. Im Vordergrund stehen unregelmäßige Fieberschübe und geringe Normalabweichungen bei verschiedenen Laboruntersuchungen. Im Rahmen einer allgemeinen Durchuntersuchung des Patienten wird zumeist auch eine Leberbiopsie durchgeführt. Deren Ergebnis mit den Granulomen ergibt dann wertvolle weitere Hinweise für die Diagnostik.
Eine wichtige Grundkrankheit bei der granulomatösen Hepatitis ist die Tuberkulose. Bekanntlich konnte diese Infektionskrankheit auf Grund der gesetzlichen Schutzmaßnahmen als verbreitete und schwerwiegende Volkskrankheit ausgeschaltet werden. Es darf aber nicht verkannt werden, daß sie im Einzelfall durchaus vorhanden sein kann und dann für den Patienten wie für seine Umgebung zur Gefahr wird. Eine überstandene und abge-

heilte Tuberkulose kann z. B. wieder aufflackern, wenn eine zweite Erkrankung hinzukommt und die Abwehrkräfte zusätzlich beansprucht. Besonders gefährlich ist eine Abmagerung oder ein starker Eiweißverlust. Auch eine Behandlung mit bestimmten Medikamenten, besonders Hormonen der Nebennierenrinde (Cortison-Präparate) kann die Tuberkulose aktivieren. Dann erfolgt möglicherweise eine Verbreitung innerhalb des Körpers einschließlich der Leber. Die tuberkulösen Granulome gehören zu denjenigen, die man bei der mikroskopischen Untersuchung eindeutig identifizieren kann. Ihr Aufbau und der Zellbestand sind für diese Erkrankung spezifisch. In ähnlicher Weise gelingt das auch bei anderen Grundkrankheiten, so beim Typhus abdominalis und beim Morbus Bang, einer durch Stäbchenbakterien übertragbaren Krankheit, die besonders bei landwirtschaftlich Tätigen auftritt. Andere Granulome sind so uncharakteristisch, daß weitere, vor allem serologische Untersuchungen zur Abklärung der Krankheitsursache notwendig sind. Es muß auch daran gedacht werden, daß die monate- bzw. jahrelange Einnahme bestimmter Medikamente zur Granulombildung führen kann. Die granulomatöse Hepatitis ist somit als Teilglied einer generellen Erkrankung anzusehen.

Leberveränderungen bei Systemerkrankungen

Als Systemerkrankung bezeichnet man eine Gruppe von Erkrankungen des lymphatischen Systems und der blutbildenden Organe, die durch eine starke Zellwucherung gekennzeichnet sind. Diese verläuft unreguliert. Andere Organe und Gewebe werden dadurch infiltriert und sogar zerstört. Auf Grund dieses Verhaltens sind die Systemerkrankungen bösartigen Geschwülsten vergleichbar. Die entsprechenden Erkrankungen des lymphatischen Systems werden Lymphome, die der weißen Blutzellen Leukämien genannt. Beide Hauptkategorien umfassen mehrere Untergruppen, die sich durch die Art der wuchernden Zellen, die Altersklassen der Betroffenen, den Krankheitsverlauf und die therapeutische Beeinflußbarkeit unterscheiden.
Etwa die Hälfte aller Lymphome entsprechen der Lymphogranulomatose (Hodgkin'sche Erkrankung). Die krankhaften Veränderungen finden sich in wechselnder Stärke in den verschiedenen Lymphknotengruppen sowie in der Milz. Die Beteiligung der Leber ist in etwa $^2/_3$ der Fälle zu beobachten. Teils sind Granu-

lome vorhanden, wie sie im vorigen Abschnitt beschrieben wurden, teils kommen größere Infiltrate vor. Gelegentlich ist die Leberschädigung so ausgeprägt, daß ein Ikterus besteht.
Die Leukämien ziehen die Leber in sehr charakteristischer Weise in Mitleidenschaft. Im wesentlichen kommen drei Formen vor: die chronische myeloische Leukämie mit unreifen weißen Blutzellen aller Differenzierungsgrade und einem Altersgipfel im 6. Jahrzehnt, die chronische lymphatische Leukämie, die bei gleicher Altershäufung mit einer abnormen Anreicherung von Lymphozyten einhergeht und schließlich die akute myeloische Leukämie mit dem fast ausschließlichen Befall von Kindern, einer Überfüllung des Blutes mit ganz unreifen Zellen und einem raschen ungünstigen Verlauf. Durch energische therapeutische Maßnahmen kann man selbst die letztgenannte Form vorübergehend unterdrücken; es kommt aber zu Rückfällen. Die Leber ist unterschiedlich betroffen. In ausgeprägten Fällen kann das Organ auf das Drei- bis Vierfache vergrößert sein und beim Erwachsenen eine Masse von 6 kg erreichen. Die mikroskopische Auswertung ergibt bei der chronisch-myeloischen Form eine Geschwulstzellverteilung entlang der Sinusoide, bei der lymphatischen Leukämie eine dichte Infiltration der Portalfelder und bei dem kindlichen Typ eine diffuse Aussaat. – Die Rückbildung der infiltratbedingten Lebervergrößerung ist für den Arzt oft ein wichtiges Kriterium für die Wirksamkeit bestimmter Therapieformen. Durch die Kombination einer Behandlung mit Zytostatika, Hormonen, Blutzellübertragungen mit verschiedenen anderen Maßnahmen kann eine erhebliche Verlaufsverbesserung erzielt werden, wenn auch noch keine endgültige Heilung.

Leberveränderungen bei Stoffwechselstörungen

Die Zahl der Stoffwechselstörungen, die sich funktionell und bzw. oder morphologisch auf die Leber auswirkt, ist groß. Auf diese Zusammenhänge ist bei der bisherigen Besprechung wiederholt hingewiesen worden. An dieser Stelle sollen dazu noch einige Ergänzungen gegeben werden. Wir erwähnen dabei mit Absicht häufige wie seltene sowie schwerwiegende und geringfügige Mitbeteiligungen der Leber um zu zeigen, wie vielfältig und wechselnd die Beziehungen sind.
Im Rahmen des Kohlenhydratstoffwechsels ist die Zuckerkrankheit (Diabetes mellitus) die häufigste Störung. Die Leber zeigt

dabei in einem hohen Prozentsatz eine Verfettung. Sie beruht auf einer Kombination von Störungen in dem viele Einzelreaktionen umfassenden Prozeß des Auf- und Abbaues von Fetten, insbesondere von Triglyceriden. Dieser funktioniert nur bei Anwesenheit bestimmter aus dem Kohlenhydratstoffwechsel stammender Substanzen. Weiterhin finden sich in den Leberzellen sogenannte Lochkerne, die man bei der mikroskopischen Betrachtung erkennt. Verfettung und Lochkerne besitzen eine erhebliche diagnostische Wertigkeit. Sie werden u. U. bereits vor Manifestierung der Zuckerkrankheit sichtbar und signalisieren dem Arzt deren späteren Ausbruch. – Andererseits gibt es Lebererkrankungen, z. B. bestimmte Schrumpflebern, die ihrerseits die Blutzuckerregulation stören und zu einem Diabetes mellitus führen. Schließlich ist darauf hinzuweisen, daß ein insulinpflichtiger, d. h. injektionsbedürftiger Diabetes mellitus eine erhöhte Infektionsgefährdung des Betroffenen mit sich bringt. Das könnte eine Ursache für die erhöhte Beteiligung der Diabetiker an Hepatitiserkrankungen im Vergleich zur Normalbevölkerung sein. Mit der verbesserten Einhaltung hygienischer Maßnahmen schwindet dieser Unterschied in letzter Zeit.
Eine Störung des Eiweißstoffwechsels liegt bei der Amyloidose vor. Amyloid ist eine normalerweise im Körper nicht vorkommende Substanz, die aus Proteinen in feinstfibrillärer Form besteht und unter krankhaften Bedingungen von den Abwehrzellen gebildet wird. Der Bildung gehen zumeist schwere und langwierige Infektionen, etwa eine Tuberkulose oder Knocheneiterungen (Osteomyelitis), eine rheumatische Erkrankung oder ein Geschwulstleiden voraus. Die Substanz wird bevorzugt in der Leber und Niere, Nebenniere, Milz und im Darm, besonders im Mastdarm, abgelagert. Die Leber ist vergrößert und von fester Konsistenz. Während die Laboruntersuchungen nur gering pathologisch ausfallen, erkennt man unter dem Mikroskop doch eine starke Verdrängung und Rarefizierung der Leberzellen durch den abgelagerten Stoff. Eine Leberpunktion führt somit sehr rasch zu einer sicheren Diagnose.
Eine erst vor wenigen Jahren bekannt gewordene Erkrankung ist der Alpha-1-Antitrypsin-Mangel. Bei dieser Substanz handelt es sich um ein Enzym einer normalerweise in der Leber gebildeten Enzymgruppe. Sie haben die Aufgabe, andere Enzyme zu hemmen, die in die Blutgerinnung und die Tätigkeit bestimmter Zellen eingreifen. Der Alpha-1-Antitrypsin-Mangel führt zum Fortfall der Hemmung, so daß eine gesteigerte Aktivität resul-

tiert. Das macht sich besonders an der Lunge bemerkbar, deren Gewebe angegriffen und teilweise zerstört wird. Die Folge ist ein ausgeprägtes Lungenemphysem, das bereits im mittleren Lebensalter auftritt und infolge einer Herzschädigung den vorzeitigen Tod verursachen kann. Die Leberschädigung, welche nur bei einem Teil der Erkrankten beobachtet wird, besteht in einer Anreicherung des Enzyms in den Zellen. Da der normale Ausschleusungsmechanismus defekt ist, fehlt es im Blut. In ausgeprägten Fällen entwickelt sich eine Leberzirrhose mit Ikterus und Hochdruck im Pfortadergebiet im frühen Kindesalter. Auch bei dieser insgesamt seltenen angeborenen Stoffwechselstörung kann die Leberpunktion wesentlich zur Diagnosestellung beitragen.

Praktisch immer wird die Leber in Störungen des Eisenstoffwechsels einbezogen. Die schwerste Form wurde als Pigmentzirrhose bereits im Kap. 4 erwähnt. Darüber hinaus gibt es zahlreiche andere Entgleisungen. Sie treten bei Bluterkrankungen, bei Blutübertragungen sowie bei primären Lebererkrankungen, aber auch im Verlauf von Krankheiten anderer Organe in Erscheinung. Unter den Bluterkrankungen nehmen die hämolytischen Anämen eine besondere Stellung ein. Hier ist die Lebensdauer der roten Blutzellen verkürzt, dadurch kommt es zu einer vermehrten Eisenanflutung im Serum. Ursache für den vorzeitigen Zerfall können Qualitätsmängel der Blutzellen selbst sein oder andere Faktoren. Bei den letzteren sind körpereigene und körperfremde zu unterscheiden. Unter den körpereigenen kommen neben sogenannten Antikörpern sehr selten überstandene Leberentzündungen in Betracht; die körperfremden umfassen vor allem toxische Beeinflussungen durch gewerbliche Chemikalien (Schwefelwasserstoff, Nitrobenzol, Phenol u. a.) oder Medikamente (phenacetinhaltige Präparate, Sulfonamide u. a.). Das führende klinische Symptom ist die Blässe der Haut und Schleimhäute. Außerdem besteht ein leichter strohgelber Ikterus. Die Milz ist vergrößert. Der Bilirubinspiegel im Serum ergibt erhöhte Werte. Da der Gallenfarbstoff die Leberzellen noch nicht passiert hat, handelt es sich um indirektes Bilirubin (vgl. Kap. 2). Der Hauptbefund in der Leber ist die Eisenablagerung. Sie betrifft sowohl die Epithel- wie Sternzellen. Trotzdem in ausgeprägten Fällen fast alle Leberzellen an der Speicherung beteiligt sind, wird die Funktion des Organs nur wenig beeinträchtigt. Erst bei extremem Befall treten Nekrosen auf.

Leberveränderungen in der Schwangerschaft

Jede Schwangerschaft bedeutet einen erhöhten Leistungsanspruch für den mütterlichen Organismus. Der Stoffwechsel wird in zunehmendem Maße belastet, da er mehr und mehr die Funktionen der heranwachsenden kindlichen Organe mit übernehmen muß. Die regelmäßige ärztliche Überwachung der schwangeren Frau gibt die Gewähr für eine rechtzeitige Erkennung eventueller Überlastungen. Dabei ist besonders auf den Blutdruck, die Urinbeschaffenheit und das Verhalten des Haut- und Unterhautgewebes der Unterschenkel zu achten. Dortige Anschwellungen (Ödeme) zeigen ebenso eine Schädigung an wie die Erhöhung des Blutdruckes bzw. ein Eiweißvorkommen im Harn. Auch die Leber kann in dieser Zeit Störungen aufweisen. Sie können am Auftreten einer Gelbsucht erkannt werden. Man unterscheidet einen Ikterus *während* der Schwangerschaft und einen Ikterus *durch* die Schwangerschaft. In die erste Kategorie gehört alles, was bisher über die Ursachen der Gelbsucht gesagt wurde (vgl. Kap. 4). Leberentzündungen und Gallensteine stehen im normalen Schwangerschaftsalter als Ursache weit an der Spitze. Der schwangerschaftsbedingte Ikterus beruht auf einer Störung durch die veränderte Hormonlage. Da die weiblichen Sexualhormone ebenfalls die Leberzellen passieren, nimmt man ein Konkurrenzverhalten mit dem Gallenfarbstoff an, wodurch sich dieser aufstaut. Die Komplikation wird im letzten Schwangerschaftsdrittel am häufigsten beobachtet. Eine entsprechende medikamentöse Behandlung strebt Beschwerdefreiheit an. Nach der Entbindung verlieren sich die Erscheinungen sehr rasch von selbst. Verschiedene Anzeichen lassen darauf schließen, daß diese echte Schwangerschaftsgelbsucht nur bei Frauen mit einer anlagemäßigen Überempfindlichkeit auftritt. Bei den gleichen Frauen kann nämlich auch durch Kontrazeptiva ein Ikterus hervorgerufen werden. Das sollte bei der ärztlichen Verordnung der „Pille" berücksichtigt werden.

Leberveränderungen bei parasitären Erkrankungen

Parasiten als Krankheitserreger spielen in unserem unmittelbaren Lebensgebiet bei weitem keine dem Weltmaßstab vergleichbare Rolle. Man rechnet, daß allein 600 Millionen Menschen von der Ascaridiasis und 100 Millionen von der Schisto-

somiasis betroffen sind. Noch vor einigen Jahren starben 3 Millionen jährlich an einer Malaria.
Die Leber ist an parasitären Erkrankungen häufig beteiligt. Entweder ist sie Durchgangsstation oder Endaufenthaltsort der Erreger. Die meisten Parasiten gelangen mit der Nahrung oder auf andere Weise in den Magen-Darm-Kanal.
Für viele Parasiten ist es charakteristisch, daß sie sich nicht nur in der freien Natur, sondern vorwiegend in Zwischenwirten aufhalten, von denen sie auf andere Lebewesen übertragen werden. Diese Eigentümlichkeit ist die Ursache der Verbreitung und der Schwierigkeit bei ihrer Bekämpfung.
Aus der Gruppe der Würmer sind die Rundwürmer (Nematoden), Spulwürmer (Ascariden) sowie die Echinokokken (Bandwürmer des Hundes bzw. Fuchses) besonders hervorzuheben. – Die Rundwürmer sind die Erreger der Bilharziose oder Schistosomiasis. Die Erkrankung wird durch drei Arten von Erregern hervorgerufen, die überwiegend in Afrika und Asien verbreitet sind. Als Zerkarien dringen sie durch die Haut des Menschen, besonders wenn er sich im Wasser aufhält. Sie verteilen sich rasch im Körper und gelangen zur Leber, in die Harnblase, Lunge und in den Darm. In der Leber wachsen sie zu Würmern heran, deren Eier die Komplikationen hervorrufen. Sie verursachen ausgedehnte Entzündungen, Abszesse und Narben, so daß das klinische Bild einer Zirrhose hervorgerufen werden kann. Die rechtzeitige Erkennung sichert eine Heilung. Verschleppte Fälle können zum Tode führen. – Die Eier der Spulwürmer gelangen als Schmierinfektion in den Magen-Darm-Kanal. Im Darm entwickeln sich die Larven, welche auf dem Blutweg in die Lunge verschleppt werden und von dort aus erneut in den Darm gelangen. Hier erreichen die Würmer ihre volle Länge (bis 25 cm). Sie können in die Gallengänge eindringen und diese verlegen oder bis zur Leber aufsteigen. Entzündungen und Gelbsucht sind die Folgen. – Die Echinokokkeninfektion erfolgt ebenfalls oral, d. h. mit verunreinigter Nahrung oder durch Unsauberkeit. Im Darm des Trägers werden die Larven aus den Eiern frei und kommen mit dem Pfortaderblut zur Leber. Dort bilden sich Blasen, die sich durch Sprossung zu erheblicher Anzahl vermehren können und schließlich in traubenartige Gebilde übergehen. Sie können Teile eines Leberlappens einnehmen und Entzündungen, Nekrosen sowie eine Druckerhöhung im Pfortadergebiet nach sich ziehen. Die Erkrankung kommt in zwei Formen vor, von denen eine spontan abheilen kann.

Neben den Wurmerkrankungen spielen auch Infektionen mit Protozoen eine Rolle. Am gefährlichsten für die Leber ist die Amöbiasis. Auf diese Erkrankung wurde bereits im Kapitel 3 hingewiesen. Nachdem die Erreger beim Nahrungsverzehr in den Dickdarm gelangt sind, rufen sie dort ruhrartige Entzündungen hervor. Nach Einschleppung in die Leber entstehen dort Abszesse. Die Erkrankung wird leicht chronisch und kann zu einer dauerhaften Anfälligkeit und zu Rückfällen neigen.
Die Erwähnung dieser vorwiegend in den tropischen und subtropischen Regionen der Welt auftretenden Erkrankungen erscheint gerechtfertigt, da durch zunehmenden Verkehr und wirtschaftliche Zusammenarbeit stets die Möglichkeiten zur Verschleppung und Ausbreitung innerhalb kürzester Zeit gegeben sind. Weiterhin soll die Notwendigkeit zur peinlichen Einhaltung hygienischer Regeln und weiterer Vorsichtsmaßnahmen unterstrichen werden, sobald eine entsprechende Exposition besteht.

6. Die Behandlung der Leberkrankheiten

Allgemeine Maßnahmen

In diesem Kapitel kann es keineswegs darum gehen, konkrete Therapieempfehlungen zu geben oder bestimmte Verfahren, Medikamente oder Dosierungen zu propagieren. Es ist vielmehr das Anliegen zu zeigen, wie die moderne Medizin mit jeweils angepaßten Maßnahmen der Vielzahl der Lebererkrankungen begegnet.

Diagnostik und Therapie hängen eng zusammen. Bei einem großen Teil der Patienten werden die Untersuchungen zur Diagnostik und die Behandlung ambulant durchgeführt, da weder Beschwerden noch Befunde eine stationäre Aufnahme rechtfertigen würden. Andererseits kann eine kurzfristige Hospitalisierung, etwa zur Durchführung einer Leberpunktion, auch im Rahmen der ambulanten Diagnostik erforderlich sein. Andere Patienten sind von Anfang an so schwer krank, daß sie in ein Krankenhaus eingewiesen werden müssen. Die stationäre Aufnahme ist bei sämtlichen Fällen der ansteckenden Gelbsucht (Hepatitis infectiosa A und B) gesetzlich vorgeschrieben unabhängig davon, ob ein leichter oder schwerer Verlauf besteht. Wird ein Patient nach der Behandlung einer Leberkrankheit aus dem Krankenhaus entlassen, so schließt sich in der Regel eine weitere Betreuung an. Sie erfolgt in der Poliklinik der gleichen Gesundheitseinrichtung oder durch den Hausarzt. In vielen Fällen wird eine Überweisung in eine Spezialsprechstunde für Leberkranke vorgenommen.

Die Art der Behandlung hängt vom Grundleiden ab. In Anlehnung an diese Einteilung werden im Folgenden einige Prinzipien der Therapie getrennt nach Fachgebieten abgehandelt.

Diät

Auf dem Gebiet der Ernährung von Leberkranken hat sich innerhalb der letzten Jahrzehnte mehrfach ein Wandel vollzogen. Die Diät als Ausdruck eines gezielten Nahrungsangebotes hat immer die Aufgabe, den Körper während einer Krankheit und insbesondere das erkrankte Organ zu entlasten. Je mehr Kenntnisse die medizinische Forschung über die Funktionen der Leber und den Ablauf der Stoffwechselprozesse erarbeitete, um so verläßlicher konnte sich auch die Ernährungslehre auf die jeweils neuen Ergebnisse stützen. Im Endergebnis hat sich die Erkenntnis durchgesetzt, daß eine strenge Diät für keine Leberkrankheit erforderlich ist. Als beste Ernährung hat sich eine sogenannte leichte Normalkost erwiesen. Was ist darunter zu verstehen? Der Energiegehalt der täglichen Nahrung soll weder zu hoch noch zu niedrig bemessen sein. Entsprechende Angaben finden sich im Kapitel 3 (Leber und Ernährung). Es sollen leicht verdauliche Speisen verabfolgt werden. Besonderes Augenmerk ist auf die Einhaltung der Kohlenhydratmenge zu richten, da ein Überangebot sofort eine Umwandlung zu Fett nach sich zieht und die Leber belastet. Bei Fetten hat sich die Verwendung von Herstellungsformen mit reichlichem Gehalt an ungesättigten Fettsäuren und niedrigem Schmelzpunkt bewährt wie sie u. a. in Pflanzenölen angeboten werden. Die tägliche Optimalmenge von 1 g Eiweiß pro Kilogramm Körpermasse soll eingehalten werden. Eier- und Milcheiweiß, auch in Form von Quark usw., hat sich als besser verträglich erwiesen als Fischeiweiß. Bei Zusatzstoffen, Gewürzen u. a. gibt es keine Einschränkungen, die durch die Leberkrankheit bedingt sind. Es ist allerdings zu sagen, daß manche Zutat wie Paprika auch von Gesunden schlecht vertragen und daher gemieden wird. Rohes Gemüse und Obst sollen als Vitaminträger und Ballaststoffe nicht fehlen. Bohnenkaffee, der zeitweise auf der Verbotsliste für Leberkranke stand, kann ohne Bedenken genossen werden. – Je nach Unverträglichkeit soll man lediglich auf blähende oder besonders zubereitete Speisen verzichten; zu diesen können Kohl, bestimmte Hülsenfrüchte, Zwiebelgemüse, gebratene Pilze oder Fettgebackenes zählen.
Bei der Behandlung der Fettleber sind die generell empfohlenen Energiemengen so zu unterschreiten wie der Arzt es festlegt.
An der Zusammensetzung der Nahrung braucht sich indessen nichts zu ändern. Insbesondere wäre es falsch, den Fettanteil unter die Normwerte reduzieren zu wollen.

Für die akuten und chronischen Hepatitiden gibt es kein spezielles Ernährungsregime. Auch hier kommt die leichte Normalkost zur Anwendung. Bei schwerem Krankheitsverlauf ist dem Appetitmangel des Patienten Rechnung zu tragen indem zeitweise auf kohlenhydratreiche Kost und gegebenenfalls breiige Form ausgewichen wird. – Bei der Leberzirrhose sind Stadium und Aktivitätsgrad von Bedeutung für die Ernährung. Eine ausgewogene Durchschnittskost ohne unverträgliche Nahrungsmittel, die am besten individuell ermittelt werden, ist für die Dauer das Beste. Der Eiweißanteil soll ausreichend, aber nicht im Übermaß reichlich bemessen werden. Die Entgiftungskapazität der geschädigten Leber ist reduziert, und die Nahrung muß dieser Funktionseinschränkung Rechnung tragen. Andererseits sind Eiweißverluste, etwa durch Ascitespunktionen, durch Mehrgabe in der Nahrung auszugleichen. – Lediglich der schwere Krankheitszustand beim Leberversagen macht eine radikale Veränderung der Ernährung erforderlich. Hier muß der Kliniker besondere Anweisungen erteilen.
Für sämtliche Formen der Leberkrankheiten gilt eine Warnung, die nicht oft genug wiederholt werden kann: Kein Alkohol! Dieses Verbot trifft in strengster Form Patienten mit akuten Entzündungen einschließlich der Heilungszeit, mit chronischen Hepatitiden, gewerblichen oder sonstigen Vergiftungen sowie mit Zirrhosen. Bei der alkoholischen Fettleber ist das Absetzen des Alkohols eine Grundbedingung für die Rückbildung der krankhaften Organveränderungen. Bei den übrigen Leberbefunden sowie einer Mitbeteiligung an anderen Organerkrankungen kann ein einziges Glas Wein innerhalb langer Zeit sicher nichts schaden.
Bei der Frage des Alkoholverbotes helfen weder wissenschaftliche Erkenntnisse noch ärztlicher Rat – mag er noch so eindringlich und gut gemeint sein –, wenn der Patient nicht die notwendige Einsicht aufbringt und die Energie besitzt, sich danach zu richten. Alle sollten ihm dabei helfen.

Internistische Therapie

Die soeben dargelegten Richtlinien der Ernährung stellen bereits einen Teil der internistischen Heilmaßnahmen dar. Sie werden von Fall zu Fall durch eine medikamentöse Therapie und weitere Maßnahmen unterstützt.

Feste Bettruhe ist nur bei bestimmten Leberkrankheiten erforderlich. Hierzu rechnen schwere Verlaufsformen der Virushepatitis, der Zirrhosen und der Zustand des drohenden und eingetretenen Leberversagens. Bei allen anderen Formen ist – auch beim Krankenhausaufenthalt – keine Liegepflicht notwendig. Andererseits muß betont werden, daß körperliche Anstrengungen während akuter Leberkrankheiten vermieden werden müssen. Schwere körperliche Belastungen dürfen auch in der Heilungsphase und eine Zeitlang danach nicht erfolgen; das gilt insbesondere für den Leistungssport. Chronische Leberkrankheiten (chronisch-fortschreitende Hepatitis, Zirrhose) bedingen eine Dauerschonung. Über die Arbeitsfähigkeit bzw. -unfähigkeit wird individuell durch den Arzt entschieden. Maßgeblich dafür sind neben dem jeweiligen körperlichen Zustand des Patienten der Ausfall der Kontrolluntersuchungen.

Die medikamentöse Therapie bei Leberkrankheiten ist auf spezielle Situationen beschränkt. Es gibt kein Präparat, das z. B. eine Virushepatitis innerhalb kurzer Zeit zur Abheilung bringen kann, wie das bei bakteriellen Entzündungen anderer Organe möglich ist. Nur bei bestimmten Verlaufsvarianten, besonders der chronisch-fortschreitenden Hepatitis, werden Medikamente eingesetzt. Sie wirken entzündungshemmend und unterdrücken die gesteigerte Reaktion körpereigener Zellen. – Daneben gibt es eine Anzahl sogenannter Leberschutzpräparate. Sie enthalten Substanzen, die sich bei experimentellen Untersuchungen als günstig für die Erhaltung der Leberzellen erwiesen haben. Weiterhin beinhalten sie Vitamine und Stoffe, die als Schlüsselverbindungen des Leberstoffwechsels gelten. Diesen Präparaten kann durchaus unterstützende Wirkung bei der Heilung zukommen. Es darf aber keineswegs der Schluß gezogen werden, daß eine Besserung allein von ihrer Einnahme erwartet werden könne. Das wichtigste Prinzip der Leberbehandlung ist vielmehr die Fernhaltung von Schädlichkeiten, eine angemessene Ernährung und körperliche Ruhe.

Besonders ist darauf zu achten, daß der Heilprozeß nicht durch andere Medikamente gestört oder verzögert wird. Wie im Kapitel 3 (Leber und Medikamente) dargestellt wurde, gibt es in dieser Hinsicht Gefahren. Die leberbelastende Nebenwirkung mancher Präparate muß vermieden werden.

Zur internistischen Therapie gehören schließlich einige Maßnahmen bei fortgeschrittenen Zuständen der Schrumpfleber. Wie im Kapitel 4 ausgeführt wurde, können dabei Erweiterungen der

Speiseröhrenvenen (Ösophagusvarizen) und eine Bauchwassersucht (Ascites) auftreten. Beides bedingt instrumentelle Eingriffe. Im Falle einer Blutung aus den Varizen legt man in Verbindung mit einer Endoskopie eine Sonde zur Blutstillung. Neuerdings wird angestrebt, durch Einspritzen einer die Narbenbildung anregenden Flüssigkeit in oder um die erkrankten Venen, künftige Blutungen zu vermeiden. Die Ansammlung von Ascites erfordert eine Punktion. Dabei wird an der seitlichen Bauchwand eine örtliche Betäubung gesetzt und mittels dünner eingeführter Kanüle die Flüssigkeit abgelassen. Dieser kleine Eingriff erfordert sorgfältige Sterilität, um eine Infektion der Bauchhöhle zu vermeiden.
Schließlich soll noch kurz auf vorbeugende Maßnahmen eingegangen werden. Wie bei anderen Infektionskrankheiten ist es auch bei der Virushepatitis möglich, eine Immunisierung vorzunehmen. Es handelt sich um eine passive Immunisierung, bei welcher die fertigen Abwehrstoffe in den Körper eingespritzt werden. Dieses sind Eiweißstoffe, die als Gammaglobuline bezeichnet werden. Die Immunisierung gegen die Virushepatitis A ist u. a. sinnvoll bei Personen, die zu Erkrankten sehr engen Kontakt gehabt haben oder noch besitzen. Sie ist aber abhängig von der serologischen Situation des zu Schützenden und sie hält nur einige Monate an. Bei der Virushepatitis B liegt eine kompliziertere Sachlage vor. Die Schutzwirkung ist von bestimmten Bedingungen des Impfstoffes und der Verhältnisse beim Empfänger abhängig. Auf diesem Gebiet sind künftig weitere Fortschritte zu erwarten.

Dispensairebetreuung

Zum System der Dispensairebetreuungen, die es für verschiedene Krankheitsgruppen gibt, gehört auch eine entsprechende Einrichtung für Leberkranke. Es ist ein Teilbereich der ambulanten Versorgung. An dieser Stelle sollen alle Angaben über den Krankheitsverlauf gesammelt und ausgewertet werden. Insbesondere ist eine Koordinierung der Daten und Untersuchungsbefunde der ambulanten, stationären und eventueller Kurbetreuungen vorzunehmen. So gelangt man zu einer zusammenhängenden Auswertung des gesamten Krankheitsverlaufes. Die Patienten sind hier registriert und werden nach den Erfordernissen des Befundes regelmäßig zu Konsultationen bestellt. Es erfolgen

Beratungen über alle notwendigen Fragen wie Ernährung, medikamentöse Therapie, berufliche und sonstige Belastungen, Reisetätigkeit, eventuelle erstmalige oder wiederholte stationäre Behandlungen, Durchführung von Kontrolluntersuchungen u. a.

Kuraufenthalte

Kuraufenthalte sind als Bestandteil einer wissenschaftlich begründeten Betreuung von Leberkranken anzusehen. Sie stehen gewissermaßen zwischen dem Krankenhausaufenthalt und der ambulanten Versorgung. Einen Hinweis auf diese Situation gibt schon die Bezeichnung „Kliniksanatorium" für einige der entsprechenden Kureinrichtungen. Etwas muß klar herausgestellt werden: Eine Kur ist weder zur diagnostischen Abklärung uncharakteristischer Beschwerden noch zur Durchführung einer Heilbehandlung bei frischen Krankheitszuständen geeignet. Im Gegenteil – beide genannten Situationen stellen eine eindeutige Kontraindikation für den Kuraufenthalt dar.
Die Voraussetzung für eine „Leberkur" ist eine durch Befunde gesicherte Diagnose, ein für die Kurbehandlung geeignetes Grundleiden sowie das Fehlen aktiver Krankheitszeichen, z. B. einer Gelbsucht.
Damit ist nicht gesagt, daß in einem Kliniksanatorium nicht ebenfalls eingehende Untersuchungen durchgeführt werden. Sie haben insbesondere das Ziel, die Auswirkungen der Kurmaßnahmen zu objektivieren und dem weiterbehandelnden Arzt Hinweise für das künftige Verhalten zu geben.
Ein umfangreicher Anteil der Patienten in einem Leber-Sanatorium hat eine Virushepatitis überstanden. Die Betreffenden befinden sich in der Rekonvaleszenz. Bei einer gewissen Anzahl wird die Erkrankung verzögert verlaufen sein, bei anderen liegt eine chronisch-andauernde Hepatitis vor. Die chronisch-fortschreitende Form oder eine Zirrhose bieten unter bestimmten Umständen auch eine Möglichkeit zur Kurbehandlung. Das Gleiche trifft für Stoffwechselstörungen wie die Fettleber und eine alkoholische Leberschädigung zu.
Die Kurmaßnahmen und -möglichkeiten sind naturgemäß von den örtlichen Gegebenheiten abhängig. Sie werden von etwa vorhandenen Heilquellen ergänzt. Diese besitzen eine Vielzahl gelöster mineralischer Bestandteile. Sie wirken weniger direkt auf die Leber ein als vielmehr auf den Magen-Darm-Kanal. So

fördern schweflige Zusätze die Darmbewegung und werden daher gern bei Verstopfung verwendet. Auch der Gallefluß wird durch sie angeregt. – Das Hauptaugenmerk der Kurbetreuung liegt oft auf dem Gebiet einer zweckmäßigen Ernährung. Die Patienten sollen nicht nur eine optimale Kostzusammensetzung und -zubereitung vorfinden, sondern auch entsprechende Anregungen für die Erweiterung des häuslichen Speisezettels erhalten. Darüber hinaus werden Wege zur Gewichtsreduktion gewiesen. Große Bedeutung kommt weiter der Bewegungstherapie zu, die bisweilen durch eine Musiktherapie ergänzt wird. Überhaupt erfahren Gruppenveranstaltungen einschließlich gruppenorientierter Unterweisungen zu medizinischen und sozialen Verhaltensweisen (Alkoholabusus) Berücksichtigung.

Chirurgische Behandlung

Die chirurgischen Maßnahmen bei Lebererkrankungen konzentrieren sich auf Situationen des Notfalls oder langfristiger Heilungs- bzw. Besserungsbestrebungen. Bei den lebensbedrohlichen Blutungen aus erweiterten Speiseröhrenvenen wird auch von internistischer Seite eine Blutstillung mittels Sonde angestrebt. Ihre Liegedauer ist allerdings begrenzt, da durch den Druck auf benachbartes Gewebe zusätzliche Schäden hervorgerufen werden. Wenn möglich, wird durch eine operative Unterbindung der Gefäße eine dauerhafte Beseitigung der Gefahr vorgenommen. Da es aber zumeist nicht gelingt, die Ursache der Druckerhöhung in den Venen vollständig zu beseitigen, muß mit Rückfällen gerechnet werden. Es fehlt nicht an Versuchen, den erhöhten Druck der Pfortader zu entlasten. Wie bereits im Kapitel 4 (Schrumpfleber) erwähnt, geschieht das durch aufwendige gefäßchirurgische Eingriffe. Man verbindet das Pfortadersystem mit einer Nierenvene. Damit gewinnt man druckentlastenden Anschluß an das venöse Netz um den Preis einer fehlenden Entgiftung des Blutes durch das Lebergewebe. Obwohl diese Methode bereits konkrete Fortschritte gebracht hat, ist das Problem weiterhin vordringlicher medizinischer Forschungsgegenstand.
Chirurgische Aufgaben liegen ferner auf dem Gebiet der Geschwulstbekämpfung und der Entfernung raumfordernder Prozesse in der Leber. Allerdings sind auch hier dem Erfolg der Maßnahmen durch die anatomischen Verhältnisse und die ungünstigen Wachstums- und Ausbreitungseigentümlichkeiten der

Tumoren engere Grenzen gesetzt als in anderen Organen. In den letzten Jahren ist die Frage des Ersatzes einer unheilbaren Leber intensiv bearbeitet worden. Während für das akute Leberversagen infolge Vergiftung oder sonstiger Schädigung eines an sich gesunden Organs die befristete maschinelle Funktionsübernahme angestrebt wurde, haben Erkrankungen mit dauerhaftem Organverlust die Lebertransplantation in Betracht ziehen lassen. Die Vorarbeiten eines entsprechenden Eingriffes sind in theoretischer und praktischer Hinsicht außerordentlich umfangreich. Bekanntlich werden Lebertransplantationen mit gutem Erfolg auch in der DDR vorgenommen. Auch auf diesem Gebiet werden weitere Bemühungen der Sicherung des Erreichten und der Suche nach Verbesserungen dienen.

Fremdwörtererklärung

Abszeß	Eitrige Entzündung mit Gewebszerstörung
acholischer Stuhl	Kot ohne Gallebeimengung (von heller Farbe)
Adenom	Gutartige Drüsengeschwulst
Albumin	Häufigster Eiweißkörper des Blutes
Aminosäure	Organische Verbindung, Baustein der Eiweißkörper
Ammoniak	Wasserlösliches Gas mit intensivem Geruch
Amöbiasis	Durch Protozoen hervorgerufene Tropenkrankheit
Angiographie	Blutgefäßdarstellung mittels Röntgenstrahlen und Kontrastmittel
anikterisch	Krankheitsverlauf ohne Gelbsucht
Aorta	Körperhauptschlagader
Ascites	Bauchwassersucht
Australia-Antigen	Bestimmter Eiweißkörper bei ansteckender Leberentzündung (Virushepatitis B)
Bakteriämie	Eindringen von Krankheitserregern in den Blutkreislauf
biliär	Zur Galle gehörig
Bilirubin	Gallenfarbstoff (Abbauprodukt des Blutfarbstoffes)
Biopsie	Mikroskopische Gewebs- oder Organuntersuchung
Cholangitis	Gallengangsentzündung
Cholecystitis	Gallenblasenentzündung

Cholesterol	hier: In der Gallenflüssigkeit enthaltener Fettstoff
Diabetes mellitus	Zuckerkrankheit
Dialyse	hier: Blutwaschung
Ductus choledochus	Hauptgallengang
Ductus cysticus	Gallenblasengang
Ductus hepaticus	Lebergallengang
Ductus thoracicus	Hauptlymphgang
Duodenum	Zwölffingerdarm
Dystrophie	Mangelernährung
endokrine Drüse	Drüse mit Direktabgabe des Wirkstoffes an das Blut
endoplasmatisches Retikulum	Zelleigenes Netzwerk mit Stoffwechselfunktionen
Endoskopie	Optische Untersuchung (Spiegelung) des Körperinneren
enterohepatischer Kreislauf	Wiederaufnahme bestimmter Stoffe durch den Darm und Rückführung zur Leber
Enzym	Wirkstoff in lebenden Zellen, der den Stoffwechsel des Organismus steuert
Emphysem	Lungenblähung
Erythrozyten	Rote Blutkörperchen
Fibrinogen	Eiweißsubstanz, die bei der Blutgerinnung und bei Entzündungen eine Rolle spielt
Globulin	Eiweißkörper im Blut
Glukuronsäure	In der Leberzelle vorhandene Trägersubstanz zur Ausscheidung von Gallenfarbstoff
Glykogen	Speicherform der Kohlenhydrate
Golgi-Apparat	Zellbestandteil zur Stoffkonzentration
Granulom	Gewebsform bei der Wundheilung bzw. bestimmten chronischen Entzündungen

Hämoglobin	An Eiweiß gebundener Farbstoff der roten Blutkörperchen
hämolytisch	blutauflösend
Hepatitis	Leberentzündung
hepatogen	Von der Leber ausgehend
Hepatozyten	Leberepithelzellen
Ikterus	Gelbsucht
Immunisierung	Herbeiführung einer Unempfänglichkeit gegenüber einer Infektion
Infarkt	Unterbrechung des Blutkreislaufes infolge Gefäßverstopfung
Infiltrat	Entzündliche Zelldurchsetzung des Gewebes
Kollateralkreislauf	Umgehungskreislauf
Koma	Bewußtlosigkeit, z. B. durch innere Vergiftung
Kontraindikation	Gegenanzeige für Medikamente oder Maßnahmen
Kontrastmittel	Zumeist jodhaltige Substanzen zur Organdarstellung mittels Röntgenstrahlen
Kontrazeptiva	Schwangerschaftsverhütende Medikamente
Laparoskopie	Spiegelung der Bauchhöhle
Lysosomen	Zellbestandteil zur Entgiftung und Ausscheidung
mechanischer Ikterus	Gelbsucht infolge Verlegung der Gallenwege
Metastasen	Tochtergeschwülste
Meteorismus	Gesteigerte Luftansammlung im Darm
Mitochondrien	Zellbestandteile zur Zellatmung
Monosaccharide	Einzelzucker
Nekrose	Zell- bzw. Gewebstod
Nukleinsäuren	Säuren der Zellkerne

oral	Durch den Mund
Pankreas	Bauchspeicheldrüse
Papilla Vateri	Anatomische Bezeichnung für die mit Klappen versehene Einmündungsstelle des Hauptgallenganges und des Bauchspeicheldrüsenganges im Zwölffingerdarm
parenteral	Unter Umgehung des Magen-Darm-Kanals
Pepsin	Eiweißspaltendes Enzym
Peptidasen	Bestimmte Gruppe eiweißspaltender Enzyme
Prothrombin	Zur Blutgerinnung notwendiger Eiweißkörper
Rekonvaleszenz	Wiederherstellungsphase nach überstandener Krankheit
Ribosomen	Zellbestandteil zur Eiweißbildung
Sepsis	Innere Blutvergiftung durch Bakterien
Sinusoid	Kapillarähnliche Blutbahn, besonders in Leber und Milz
Transferasen (früher: Transaminasen)	Besondere in der Leberzelle vorhandene Enzyme
Trypsin	Eiweißspaltendes Enzym
Tumor	Geschwulst
Varizen	Venenerweiterungen
Vena portae	Pfortader
Virämie	Verschleppung von Viren auf dem Blutweg
Virushepatitis	Durch Viren verursachte Leberentzündung
Xanthelasmen	Gelbe Hautflecken durch Ablagerung bestimmter Fettstoffe

Zirrhose	Leberschrumpfung
Zyste	Flüssigkeitsgefüllter Hohlraum in Organen oder Geweben
Zytostatika	Medikamente mit hemmenden Einfluß auf das Zellwachstum